2018 Jörg Führing
Herstellung und Verlag:
BoD – Books on Demand, Norderstedt

ISBN : 9783748101819

Vorwort:

Wie kommt es das ich ein Buch schreibe?

Habe ich Langeweile?

Will ich mich selbst darstellen?

Will ich Geld damit verdienen und endlich reich werden?

Will ich rumjammern, was uns Schlimmes passiert ist?

Ja klar, uns ist was Schlimmes passiert.

Zum einen ist uns geholfen worden, zum anderen ergaben sich im Laufe der Zeit aber auch kuriose und hin und wieder auch lustige Ereignisse.

Unser Haus ist abgebrannt und mit ihm alles, was wir hatten.

Unvorstellbar für jemanden, der so etwas noch nicht erlebt hat.

Nicht „nur" die Einrichtung.

Was heißt so lapidar Einrichtung?

In unserem Fall bis auf Schlafzimmerschrank, Bett,

Einbauküche und Wohnzimmercouch alles Antiquitäten. Im Laufe von 30 Jahren zusammengesucht, teilweise bei Haushaltsauflösungen dabeigehabt oder bei Antiquitätenhändlern und auf Trödelmärkten gekauft. Ob es das Wandblech von 1950 war, welches in der Küche hing, und bei dem man einstellen konnte, was man beim nächsten Einkauf mitbringt, ob es die antike Kaminverkleidung war, von mir umgebaut in eine Heizungsverkleidung. Oder die alte Brotmaschine. Auf ihr lagen mehrere alte Kochbücher. „Mutti kocht" oder „Sparsames Essen in der Nachkriegszeit". Ob es die alte englische Waschkommode im Bad war oder der 200 Jahre alte Couchtisch aus gebürsteter Eiche, welcher noch mit Holznägeln zusammengehauen war. Ob es die antike Truhe im Flur war, wo man mir allein für das Schloss schon sehr viel Geld geboten hatte. Ob es eine Biedermeiervitrine war, die ich eigentlich für eine Kundin entsorgen sollte. Eine Kinderschaufensterpuppe von 1950, ein Grammofon, eine alte Schreibmaschine, ein altes Akkordeon, meine, nur von mir schön gefundene, Sammlung an Hei-ligenbildern und Konfirmationssprüchen. Die komplette Diasammlung, sämtliche Bilder, ca. 100 antike Taschen, Wand- und Standuhren....

Alles innerhalb von wenigen Stunden für immer

vernichtet.

Jeder wird verstehen, dass man solch ein Ereignis nicht mal eben wegsteckt.

Um nicht zu sehr zu grübeln, habe ich mich in die Arbeit gestürzt. Ich habe mich abgelenkt mit dem Wiederaufbau meiner kleinen Firma, später mit dem Leiten der Firma und dem Hausneubau.

Meine Frau Meike konnte sich nicht ablenken. Immer wieder fragte sie sich warum. Sie grübelte und hatte eine sehr schwere Zeit. Als im Laufe der Zeit immer mehr unglaubliche Dinge passierten, meinten Bekannte schließlich kopfschüttelnd zu uns, dass das alles unglaublich sei und man ja darüber ein Buch schreiben könnte. Das tat Meike schließlich auch, schrieb sich alles von der Seele, ließ alles noch einmal Revue passieren und verarbeitete auf diese Art und Weise das Geschehene. Da ich die Idee gut fand, habe ich sie gerne unterstützt und das Buch, ihre Vorlage Korrektur gelesen. Dabei habe ich das Buch zwangsläufig gelesen und auch bei mir kam die Idee, ein Buch, aus meiner Sicht, aber über dasselbe Thema zu schreiben. Und so entschloss ich mich, einige Jahre zu warten, und dann mein, nämlich dieses Buch zu veröffentlichen.

Auch für mich war es eine Möglichkeit, die ganze

Sache zu verarbeiten und zumindest zu versuchen, damit abzuschließen. Keinesfalls möchte ich jemanden damit beleidigen oder meinen Frust über Situationen oder Personen zum Ausdruck bringen. Zumal es ja eine von mir frei erfundene Geschichte ist und eventuelle Ähnlichkeiten mit lebenden Personen oder Geschehnissen nicht beabsichtigt und eher zufällig sind!

... und wenn mich, Jogi, einer fragen würde, wie ich das ganze erlebt habe? ...

Nun sitzen wir hier, die ganze Familie, meine Mutter, Schwester, Schwager und Eltern meiner Schwiegertochter.

Wir feiern die Taufe unseres Enkels Noah, dem Kind von Sascha und Steffi. Die Frauen haben den Kaffeetisch gedeckt und dekoriert und haben Kuchen und Torten gebacken. Und wir Männer? Abgesehen von meiner wichtigen Aufgabe, jeden Kuchen wenigstens einmal zu probieren, haben wir unsere Arbeit in den letzten Wochen geleistet, indem wir den Ort geschaffen haben, wo wir jetzt alle in großer Runde gemütlich sitzen.

20 Jahre haben wir nun dieses alte Haus, und renovieren seitdem. Erst einmal grob, damit wir

einziehen konnten, dann im Laufe der Jahre, nach und nach, von innen. Jede Etage, den Dachboden, ja sogar den Keller haben wir umgebaut und damals von Hand ausgeschachtet, den vorhandenen Lehmboden tiefer gelegt, damit man aufrecht stehen kann, und einen Estrichboden reingegossen.

Unterm Dach leben mein Sohn Danny mit seiner Frau Ann – Kathrin, welche von uns allen nur Anka genannt wird. Nachdem mein Sohn Klaus mit seiner Frau Daniela, welche von uns Dani genannt wird, ausgezogen war, weil sie sich ein eigenes Haus gekauft haben, zog Sascha mit seiner Frau Steffi wieder in die mittlere Etage ein. Und wieder wurde bei dieser Gelegenheit die Wohnung aufwendig renoviert.

Es wurde von uns ein komplett neues Bad gemacht, teilweise eine neue elektrische Verkabelung installiert, eine neue Heizungsinstallation angelegt und dann die "normale" Renovierung mit Tapezieren, Laminat verlegen, Streichen usw. gemacht. Nach dem Einzug haben wir in den letzten Wochen den Wintergarten auf unserem Anbau, wo vorher nur eine Terrasse war, gebaut. Mit großen Schiebetüren, direkt in den Garten. Zum Schluss mussten wir uns beeilen, wegen der winterlichen Temperaturen alles fertig zu bekommen. Als letztes habe ich noch in Eiseskälte den Wintergarten von außen verschiefert. Unser Nachbar Herr

Ochse und bestimmt viele, die vorbeigegangen sind, haben mich für bekloppt erklärt, doch nachdem ich ihm erklärt habe, dass ich bis zur anstehenden Taufe von Noah alles fertig haben möchte, hat er mir sogar zwischendurch einen heißen Cappuccino gebracht. Sascha hat tatsächlich gestern noch schnell die Fußleisten verlegt, damit heute alles perfekt ist.

Jäh werde ich aus meinen Gedanken gerissen.

„Vatter", ruft Sascha, als er nach unten aus dem Fenster schaut, „da ist Rauch! Ich glaube da brennt was!"

Wir reißen die Schiebetür auf und stürmen die Treppe in den Garten hinunter. Dicker Qualm kommt aus der offenen Terrassentür unserer Wohnung. Meike kommt mir entgegen, schreit, dass sie keiner gehört habe und will mir irgendwas erklären. Ich höre ihr nicht weiter zu, sehe mich um. Die ganze Wohnung ist verqualmt, am schlimmsten der offene Wohn- und Essbereich.

Dieses entsetzliche Piepen des Rauchmelders….

‚Du musst ruhig bleiben', schießt es mir durch den Kopf. Ich nehme Meike und schubse sie in Richtung Haustür.

„Raus, raus, nach draußen", rufe ich ihr zu. Ich höre Sascha durchs Treppenhaus nach oben rufen:

„Es brennt, das Haus brennt, alle raus!" Ich stimme ein, rufe es auch und da kommen die Ersten die schmale Holztreppe runter, verstört, fragend. Ich höre nicht zu und sage nur:

„Raus, schnell, raus!" Ich registriere, dass die Mutter von Steffi, den kleinen Noah auf ihrem Arm hat, sehe dass alle die Treppe herunterkommen. Als letztes kommt meine gehbehinderte Mutter. Auf der Hälfte der Treppe dreht sie sich um.

„Mein Mantel, ich habe meinen Mantel vergessen." Sie will wieder zurück. Ich raunze sie an:

„Komm, komm, das ist jetzt scheißegal, komm!" Ich gehe raus und sehe nach ob alle draußen sind. Irgendwie läuft das alles mechanisch ab.

„Hat jemand die Feuerwehr gerufen?" rufe ich.

„Ja", antwortet jemand, „ich glaube Anka hat angerufen." Glaube ist mir zu ungenau. Ich rufe mit meinem Handy meinen Neffen an, welcher bei der Feuerwehr ist.

„Hallo Onkelchen", tönt es fröhlich aus dem Handy.

„Alex, unser Haus brennt", sage ich, „du musst kommen."

„Willste mich verarschen?" fragt er.

„Das Haus brennt", schreie ich erneut in das Handy. „Meinst du ich mache Witze?"

„Ok, dann schicke ich jetzt aber sofort 2 Löschzüge!" sagt er zögernd.

„Ja, dann mach das!" schreie ich ein letztes Mal und stecke das Handy weg. ‚So,' denke ich, ‚das war für alle Fälle. Jetzt werden Sascha, Danny und ich MAL EBEN das Feuer löschen.' Ich gehe wieder ins Haus. Anka will mit rein, und ihren kleinen Hund aus der Wohnung im Dachgeschoß holen.

„Nix da, du kommst hier nicht mehr rein", sage ich zu ihr. Ich sehe, wie Sascha auf der Terrasse eine Plastiktonne mit Müll auskippt und sie mit Wasser füllen will, aber als er den Kran aufdreht, kommt nichts aus dem Schlauch. Jetzt im Winter ist der Haupthahn zugedreht. Er rennt durch die Wohnung zum Hauswirtschaftsraum und dreht die Leitung für die Terrasse auf. Auf dieser Seite der Wohnung sind zum Glück noch keine Flammen. Er kommt wieder raus auf die Terrasse, dreht den Hahn wieder auf, doch wieder kommt kein Wasser. Es ist alles zugefroren! Er versucht nun die Tonne in der Küche zu füllen. Ich dreh mich zum Esszimmer und will sehen, wie schlimm es ist, in dem Moment wird es dunkel. Die Sicherungen sind rausgesprungen. Nur der Schein der

Flammen und eine dicke Rauchwand mit beißendem Qualm schlägt mir entgegen. Danny kommt dazu.

„Wir müssen das Fenster einschlagen, damit der Qualm raus kann", rufe ich ihm zu. Wir rennen auf die Straße. Die Kunststoffrollläden sind unten, ich reiße sie einfach ab. Danny haut mit einer Leiter mehrmals vor das Fenster, aber die Scheibe will nicht bersten.

"Stop, stop", sage ich und mir wird endlich bewusst, dass das total bescheuert ist, was wir hier machen. Ich renne ein letztes Mal in die verrauchte Wohnung und muss erkennen, dass wir nichts mehr machen können. Ich sehe, dass Danny und Sascha im Flur stehen und mich fassungslos ansehen. Ich treffe die einzig richtige Entscheidung und sage nur noch:

„Raus, nur noch raus, wir können nichts mehr tun!" Ich nehme auch nicht ein Teil mit oder versuche irgendetwas zu retten, wir rennen nur noch raus. Draußen frage ich Sascha, ob die Nachbarn Bescheid wissen.

„Ja", sagt er, „die stehen schon da drüben auf der anderen Straßenseite, die haben mitgekriegt, wie du in das Handy geschrien hast." Neben den Nachbarn stehen die ersten Neugierigen auf dem Bürgersteig gegenüber. Ich geh zu meiner Familie, die bibbernd dasteht. Da ertönt Sirenenalarm. Irgendwie für mich beruhigend. Wenige Minuten später hört man die Martinshörner der eintreffenden Feuerwehr. Immer mehr Autos, immer mehr hektisch rumlaufende Leute mit Anzügen, Helmen und Masken. Wie gut das tut die alle zu sehen….

Die Polizei taucht auf, sperrt die Straße ab. Der Chef der Feuerwehr kommt zu mir.

„Jogi, wo habt ihr eure Hauptsicherungen und den Gashahn?" fragt er. Ich erkläre es ihm. Ich kenne fast alle von der Feuerwehr gut und im Laufe des Abends, der Nacht kommt immer mal jemand von den Feuerwehrleuten vorbei und klopft mir wortlos auf die Schultern.

Erst Monate später erfahre ich, dass es auch für die Kameraden und Kameradinnen etwas ganz Besonderes war, diesen Einsatz zu haben, bei jemandem den man persönlich kennt. Der Mann meiner Nichte zum Beispiel ist zu Besuch bei meinem Bruder. Er hört den Sirenenalarm, sieht aus dem Fenster am Dachboden quer über Gevelsberg in unsere Richtung.

„Es brennt da irgendwo im Dorf", sagt er. Dann geht sein Funkmelder und die Adresse wird ihm mitgeteilt. Er wird blass.

„Was ist los?" fragen die anderen.

„Elbenstr. 66! Das ist bei Jogi und Meike!"

Von anderen habe ich später gehört, wie es im Mannschaftswagen war, als man immer näher zur Unglücksstelle kam, die letzten Kurven nahm und dann erkannte, dass ist bei Jogi und Meike. Da war plötzlich eine gespenstische Stille im Auto. Wer macht sich schon Gedanken über die Emotionen eines Feuerwehrmannes oder einer Feuerwehrfrau? Ich bis dahin mit Sicherheit nicht.

Ich laufe hin und her, suche Meike.

„Die ist bei euren Nachbarn Ochse", sagt mir jemand. Ich geh dorthin, da sitzt auch meine Mutter. Sie zittert am ganzen Leib, und das nicht nur weil sie friert. ‚Gut, dass das mein Vater nicht mehr mitkriegt', denke ich. Er verstarb vor drei Jahren. Der hat sich immer so aufgeregt. Was denke ich für einen Quatsch? Meine Meike sitzt auf einem Sessel, ein Sanitäter ist bei ihr. Als sie mich erkennt, streckt sie mir nur wortlos ihre Arme entgegen. Der Sanitäter erklärt mir, dass man sie zur Vorsicht ins Krankenhaus bringt, wegen des Verdachtes auf Rauchvergiftung. Ich nicke, als würde ich es begreifen. Ich muss wieder raus. Warum? Wohin? Ich habe keine Ahnung.

Gerade will ich über die Straße gehen, da platzt mit einem Knall eine Schlauchleitung neben mir und ich

11

bekomme eine Wasserfontäne über meinen Körper. Ich habe nur ein dünnes kurzärmeliges Hemd an, welches jetzt auch noch nass ist. Es sind Minus 14 Grad und selbst ich fange an zu frieren, was sonst eher eine Seltenheit ist. Jemand drängt mich über die Straße und sagt, ich solle mich in den Bus setzen, um mich aufzuwärmen. Der Bus ist dort von der Verkehrsgesellschaft auf den Parkplatz gestellt worden. Ich setz mich, steh aber gleich wieder auf, will wieder raus, aber wohin?

„Bleib erstmal einen Moment hier drinnen", sagt jemand. Ich bekomme das alles nur im Rausch mit. Klaus und Dani kommen und nehmen mich in den Arm. Dani weint. Draußen sehe ich Danis Eltern und ihren Bruder stehen, etwas abseits ganz allein meinen Schwiegervater. Er weint bitterlich. Pastor Werner, der Notfallseelsorger kommt und fragt, ob er mir helfen kann. Ich verneine, spreche kurz mit ihm. Der Bürgermeister kommt, nimmt mich in den Arm und fragt, wie das passiert ist. Ich rede eine Weile mit ihm. Später kommen die ersten SMS. Es bietet mir jemand eine Wohnung an. Andere Bekannte kommen. Ich halte es im Bus nicht mehr aus. Draußen werde ich von Nachbarn und Neugierigen umringt und gefragt. Ich sage irgendwas. Ein Nachbar bringt mir eine Mütze. Ich sehe, wie ein Feuerwehrmann auf der eisglatten

Treppe, die zum Parkplatz runterführt, ausrutscht und sich überschlägt. Er hat zum Glück einen Helm auf und rappelt sich langsam wieder hoch. Meike kommt auf mich zu und sagt mit Tränen in den Augen:

„Du kannst dich scheiden lassen, ich habe dein Haus angesteckt!" Was labert die da? Und wo kommt die her? War die nicht ins Krankenhaus gebracht worden? Das rote Kreuz baut ein großes Mannschaftszelt auf. Es wird dort heiße Suppe verteilt. Eine Frau kommt, teils auf allen vieren über die vom Löschwasser vereiste Straße. Man erzählt mir später, dass die Frau in einer nahegelegenen Straße eine kleine Ferienwohnung hat, die sie uns zur Verfügung stellen wolle. Jemand gibt mir eine Jacke. Sie ist viel zu klein! Aber das liegt an mir. Ich bekomme Sie nicht zu, aber das ist nicht schlimm. Ich mache meine Jacken sowieso nicht zu. Von daher. Wieder bekomme ich eine SMS. Sie ist von einer langjährigen Freundin.

„Ich habe gerade von eurem Unglück gehört", steht da. „Es tut mir unheimlich leid, aber wenn es einer schafft, das zu überstehen und das Haus wiederaufzubauen, dann bist du das mit deiner wunderbaren Familie! LG Manu" Ich schüttele den Kopf, kann es nicht fassen, aber es gibt mir unheimlich Kraft! Ich denke wieder klarer und schaue mich um.

„Wo ist Danny?" frage ich in die Runde.

„Der wollte versuchen, ins Haus zu kommen", sagt jemand. Mir fällt auf, dass ich mich überhaupt nicht um ihn gekümmert habe. Mist.

„Danny, Danny", schreie ich laut.

„Der hat das ganz schwergenommen, und weinte so doll", sagt irgendwer.

„Danny", schreie ich weiter, renne zum Nachbarn, suche ihn auf dem Parkplatz, gehe ins Zelt, frage alle die mir begegnen, aber keiner weiß wo er ist und nirgendwo sehe ich ihn. Ich gehe zum Haus, will hintenherum aufs Grundstück, aber ich werde von der Feuerwehr festgehalten.

„Lasst mich durch, ich muss ins Haus, ich muss Danny suchen", sage ich.

„Da darfst du nicht rein", sagt man zu mir.

„Das ist mir Scheißegal", antworte ich und will mich losreißen. Ein Feuerwehrmann nimmt mich beiseite.

„Jogi, wir stehen hier die ganze Zeit schon, da ist keiner reingegangen." Ich dreh bald durch. Wenn der sich jetzt was angetan hat. Meine Gedanken überschlagen sich. Ich gehe wieder zum Parkplatz, suche im Bus, frage wieder im Zelt. Da kommt jemand vom Roten Kreuz und sagt:

„Ihren Sohn haben wir ins Krankenhaus gebracht, der hatte auch eine Rauchvergiftung. Es geht ihm aber inzwischen gut. Entschuldigen Sie, dass wir nicht sofort Bescheid gesagt haben."

Puh, das war erleichternd zu hören. Mein Freund Roman ist plötzlich da und nimmt mich in den Arm.

„Komm, wir gehen in die Brennerei." Das ist eine nahegelegene alte Brennerei, welche unter Denkmalschutz steht und als Kulturzentrum umgebaut wurde.

„Sie ist aufgeschlossen worden, als Zufluchtsort für euch und alle Helfer. Da ist auch der Rest der Familie." Dort angekommen, kriege ich mit, wie ein befreundeter Feuerwehrmann zu Sascha sagt:

„Euer Wintergarten hatte als einziger Raum einen Betonfuss-boden. Eventuell kann man dort noch einen Tisch und ein paar Stühle retten, die sind nur nass vom Löschwasser." Die Worte, die an Sascha gerichtet sind, um ihn ein wenig zu beruhigen, bekommt auch Anka mit. Hoffnung keimt in ihr auf. Sie hakt sofort nach:

„Gunnar, kann man bei Danny und mir vielleicht auch noch was retten?" Sie schaut ihn erwartungsvoll an. Er senkt seinen Blick.

„Nein, bei euch ist nichts mehr da, noch nicht einmal

Wände." Ein lautes Aufschluchzen und ein bitterliches Weinen folgen. Ich nehme Anka in den Arm und drücke sie. Ich sage nichts. Was soll ich auch sagen? Wir setzen uns alle hin und essen ein wenig Suppe, dabei unterhalten wir uns und überlegen, wer wo schlafen kann in der Nacht. Wir sind alle geschockt und können es nicht fassen, wie schnell das alles ging.

„Da hat das Haus 190 Jahre drauf gewartet", sage ich. Vor einiger Zeit hatte ich mir mal Gedanken gemacht, was wäre, wenn es mal brennen würde? Ich hatte Rauchmelder auf jeder Etage installiert und auch vor jede Wohnung einen Feuerlöscher gestellt. Ich hatte sogar mit Meike und den Kindern gesprochen, was zu tun sei. Danny und Anka sollten die Bodentreppe runtergehen, dann durch Saschas Wohnung. Mit ihm über die Terrasse in den Garten. Meike sollte nach vorne auf die Straße oder nach hinten in den Garten raus, allen im Haus Bescheid sagen und dann die Feuerwehr rufen. Nicht versuchen noch irgendwas zu retten. Und wenn es wirklich brennt? Anstatt die 2 m breite Tür von Saschas Wintergarten zu benutzen, kommt die ganze Gesellschaft im Gänsemarsch die enge Holztreppe runter! Und ich!?! Ich versuche das Fenster einzuschlagen. Macht man auch nicht. Eigentlich weiß ich das auch, aber das ist eben der Unterschied zwischen Theorie und Praxis. Hauptsache wir sind alle heil rausgekommen. DAS ist die Hauptsache.

Ich frage die Kollegen vom Roten Kreuz nach einem Ladegerät für mein Handy. Es wird mir besorgt. Nicht das das jetzt noch leer wird.

Tag 1 nach dem Brand

Ich habe zwei Stunden zusammen mit meiner Frau bei einer Bekannten geschlafen, es ist sechs Uhr. Deshalb stehe ich auf und fahre in eine Bäckerei. Dort bestelle ich 20 belegte Brötchen. Während die geschmiert werden, kommen andere Kunden in die Bäckerei.

„Haben Sie mitgekriegt, was da gestern Abend los war?" fragt jemand. „Es hat gebrannt, bei Ring!" Mir schießen die Tränen in die Augen und ich gehe wortlos aus dem Laden. Braucht ja nicht jeder sehen, wenn ich bläddere. Um mich zu beruhigen, gehe ich ein Stück die Straße runter. Als ich das Geschäft wieder betrete, ist alles mucksmäuschen still. Ich bezahle und eine Verkäuferin, die mich kennt sagt traurig:

„Tschüss Herr Ring." Als ich gehe, merke ich hinter mir die Blicke. Den Jungs und Mädels von der Feuerwehr bringe ich die Brötchen. Die haben die ganze Nacht im Wechsel eine Brandwache gemacht und freuen sich über das Frühstück. Ich fahre wieder zu unserer Bekannten, zu meiner Meike. Erst trinke ich noch einen Kaffee und spreche ein wenig mit meiner Frau. Dann geht´s los und ich fange an zu telefonieren. Bekannte, meine Mutter, meine Mitarbeiter, Geschwister, einen Anwalt, bei der einen Versicherung, bei der nächsten Versicherung und, und, und. Bei der Telefongesellschaft rufe ich an und frage, ob man eine Rufumleitung von der Festnetznummer auf mein Handy schalten könne. Das ginge, sagt man und werde es schnellstens durchführen. Nach zwei Stunden habe ich alle wichtigen Telefonate erledigt und auch keinen Bock mehr. Ich muss zum Haus.

Dort angekommen rede ich noch ein wenig mit den Feuerwehrleuten, die sich dann verabschieden und endlich Feierabend machen können. Ich stehe noch ein wenig auf dem Bürgersteig und starre auf das Haus, welches immer noch qualmt.

„Hallo Jörg", werde ich angesprochen. Es ist der Leiter des Bauamtes. Ich kenne Herrn Ockel durch meine Ratstätigkeit und duze mich auch mit ihm.

„Tja, tut mir leid, was euch passiert ist", beginnt er das Gespräch. Er fragt, wie es passiert ist usw. Im Laufe des Gespräches habe ich auch eine Frage an ihn.

„Hör mal Manfred, als ich damals das Haus gekauft habe, hieß es, wenn ich, aus welchen Gründen auch immer, das Haus mal neu aufbauen müsste, dann jedenfalls vier Meter zurück von der Straße wegen des Bebauungsplanes. Die neueren Häuser an der Straße sind alle schon auf der Baulinie. Lediglich meines mit Nachbarhaus und weiter oben an der Straße steht eins weiter vorne. Darf ich jetzt gar nicht wieder hier so aufbauen oder gar neubauen, muss ich jetzt auch zurück?"

„Nee", sagt Manfred, „der Bebauungsplan ist doch damals gemacht worden, da war das hier noch eine Landesstrasse. Jetzt ist es eine Gemeindestrasse und zudem auf Tempo 30 beruhigt. Außerdem sähe das ja auch blöd aus, wenn du mit deinem Haus zurückgehst und das Nachbarhaus so stehen bleibt. Dann hätten die ja die ersten vier Meter ihrer Außenwand ohne Fenster und unverputzt. Im Übrigen darf man in dieser Situation wieder genau da aufbauen, wo das Haus vorher stand."

„Ich meine ja nur", antworte ich, „wenn ich zurückmüsste, dann müsste ich ja in den Hang hinter unserem Haus reinbauen. Das würde ja unheimlich kosten."

„Nein, ich denke nicht", sagt Manfred, „aber ich kläre das alles noch mal in Ruhe im Bauamt und sage dir dann Bescheid. Bis dann", sagt er und geht. Ich bleibe stehen, in Gedanken vertieft. Habe ich jetzt gerade über einen eventuellen Neubau gesprochen? Etwa 18 Stunden nach dem Brandbeginn? Wahnsinn! Es ist noch nichts geklärt mit der Versicherung, ob wir überhaupt etwas bekommen, wie es weitergeht, wo wir wohnen usw. und ich mache mir Gedanken über den Bebauungsplan? Manfred kommt noch einmal zurück und sagt, ich solle doch bitte das Haus sichern, damit nicht jemand da rein geht. Fenster oder eine Haustür gibt es ja nicht mehr. Ich rufe sofort einen meiner Mitarbeiter an, er möge doch ein paar Spanplatten kaufen und vorbeibringen.

„Hey Jogi", hör ich da. Markus Schmidt, ein Bekannter, welcher bei einem Lokalsender beim Fernsehen arbeitet, gibt mir die Hand. Er erzählt, dass er in der Nacht schon da gewesen sei und gefilmt und berichtet hätte. Ich habe davon nichts mitgekriegt. Er fragt, was genau eigentlich passiert sei und ob er mit seiner Mannschaft filmen darf. Er würde auch gerne ein Interview mit mir machen. Ich habe nichts dagegen. Nach einer halben Stunde ist alles im Kasten.

„Wie geht es weiter?" wollte er zwischendurch wissen. Was'n Quatsch, das weiß ich doch selber nicht. Da bimmelt mein Handy. Es ist eine Kundin, die sagt, dass sie heute Morgen auf dem Weg zur Arbeit an unserem Haus vorbeigekommen sei und auch im Radio gehört habe, was passiert ist. Sie hat ihr Nachbarhaus leer stehen, da ihre Schwiegermutter ins Heim gekommen sei. Eigentlich sollte es ja erst renoviert werden. Jetzt stehe es seit 2 Jahren leer, aber wir könnten ja vielleicht dort einziehen. Wenn ich Interesse hätte, könnte ich ja mal um 16 Uhr vorbeikommen. Das sage ich ihr gerne zu. Jetzt kommt ein befreundeter Versicherungsmakler, bei dem ich unter anderem auch die Gebäudeversicherung habe. Nach ein paar persönlichen Sätzen kommen wir zum „Dienstlichen". Nach einer Stunde bin ich zwar schlauer und er hat mir auch gesagt, wie es weitergeht, aber er hat auch gesagt, dass man erst mal untersuchen müsse, wieviel gezahlt wird und ob überhaupt gezahlt wird! Noch ahne ich nicht, dass wir auf diese Antwort 65 bange Tage warten müssen. Von der Einfahrt neben dem Haus winkt mir der Paketbote zu.

„Hallo, was ist passiert?" fragt er. Ich erzähle, sage ihm, dass er bis auf weiteres alle Sendungen erst mal beim Nachbarn Ochse abgeben kann und nehme ihm das Paket ab. Aufgrund der Form guckt er mich fragend an, verbeißt sich jedoch die neugierige Frage, was da wohl drin sei. Ich kläre ihn auf.

„Das ist ein altes halbrundes Sprossenfenster, welches ich bei Ebay ersteigert habe. Ich warte schon länger darauf. Das gehört zu der letzten Renovierung, die ich in unserer Wohnung machen wollte." Einen offenen Durchbruch zum Esszimmer wollte ich mit dem Fenster schließen. Den Durchbruch habe ich schon maßlich an das Fenster angepasst. Der Rahmen war fertig, ich wollte es nur noch einsetzen.

„Kannste eigentlich auch wieder mitnehmen... ach lass hier", sage ich zu ihm. Wieder geht das Handy.

„Hallo, Firma Sommer & Schulz hier." Das ist ein ortsansässiger Reifenhandel, bei dem wir mit unseren Pkw und Lkw Dauerkunde sind. Einige Jahre hatten wir dort einen Stellplatz für unseren Fuhrpark gemietet, welcher jetzt aber durch den Kauf eines neuen Lkw zu klein geworden war und wir woanders hingegangen waren. Seitdem sind die ein bisschen stinkig.

„Ich habe mitbekommen, was passiert ist, tut mir echt leid. Konntest du denn noch irgendetwas aus dem Büro retten?"

„Nein", sage ich, „nichts, gar nichts."

„Und Computermäßig? Hast du irgendwo Sicherungskopien gemacht?"

„Natürlich, ich bin doch nicht blöd", antworte ich.

„Aber die waren ja auch im Büro und sind mitverbrannt." Doch blöd!

„Das war aber ungeschickt, das muss man doch extern lagern", höre ich. Und in den nächsten 3 Monaten noch 100 Mal....

„Ich kann dir ja vom letzten Jahr die Rechnungen kopieren und zukommen lassen. Da war ja auch noch eine offen."

„Ok, mach das, bis dann", sage ich. Was war das denn jetzt? Erst lässt er den Mitfühlenden raushängen, dann den Klugscheißer, dann den Freundlichen..., um mich dann zu erinnern, dass noch eine Rechnung offen ist? Angeblich? Merkwürdiger Anruf. Schon wieder geht das Telefon, das mit der Rufumleitung vom Festnetz auf mein Handy scheint ja zu klappen.

„Hallo Jogi, hier ist Robert Wulf, ich habe in der Zeitung gelesen, was passiert ist. Ich will dich nicht lange aufhalten, ich wollte nur fragen, ob du dir 500 € Übergangsgeld abholen möchtest?"

„Das ist wahnsinnig nett, aber ich habe hier zu tun und irgendwie...", antworte ich.

„Ist schon klar", unterbricht er mich, „braucht dir nicht peinlich sein. Deine Kontonummer habe ich ja von damals, als du mir meinen Umzug gemacht hast. Ich überweise es dir."

„Danke", kriege ich nur raus.

„Alles Gute", sagt er und legt auf. Obwohl ich weiß, dass er sehr wohlhabend ist, ist das ja wohl der Hammer! Ruhe zum Nachdenken bleibt mir nicht, denn da kommt der Versicherungsmakler der Hausratversicherung. Auch mit ihm spreche ich lange. Er möchte wenigstens ein Blick von außen in das Haus werfen. Also gehen wir durch die Einfahrt ums Haus und er sieht von hinten in die dunkle Wohnung.

„Oh", sagt er, „da ist ja gar nichts mehr, das sieht ja verheerend aus." Das will man gerne hören. Das baut einen auf. Er macht noch ein paar Fotos mit Blitzlicht von der dunklen Hölle und geht. In dem Moment kommt ein Mann um die Ecke auf meine Terrasse. Sein Name ist Heldmann und er stellt sich vor als Brandsachverständiger. Er erklärt mir, dass er für mich als Sachverständiger meine Interessen gegenüber der Versicherung durchsetzen möchte. Diese Dienstleistung koste normalerweise ein paar Tausend Euro. Er würde das jedoch umsonst machen, wenn ich beim Neubau ihn als Architekten nehmen würde. Nachdem ich gesagt habe, dass ich ja noch gar nicht weiß, ob wir neu bauen oder ob das Haus noch zu retten ist, antwortet er:

„Da können Sie nichts mehr aufbauen, das muss abgerissen werden, das sehe ich. Überlegen Sie sich mein Angebot, ich lass Ihnen mal eine Karte da." Ein bisschen merkwürdig war der Auftritt ja schon, wie der hier wenige Stunden nach dem Brand rumschleicht und um Aufträge buhlt. Na ja, ich habe mich telefonisch bei meinem Versicherungsmakler über ihn erkundigt und nachdem der ihn kannte, habe ich zugesagt. Hört sich ja irgendwie logisch an das Ganze. Wieder geht das Handy und meine Schwiegertochter Dani erzählt, dass in der Nacht eine Frau aus der Nachbarstrasse da war, die uns eine Wohnung anbieten möchte. Sie vermietet diese als Ferienwohnung. Obwohl vielleicht nur 300 Meter von unserem Haus entfernt, habe ich noch nie etwas davon gehört. Ich solle doch mal vorbeikommen und mir die Wohnung ansehen. Das mache ich jetzt erstmal und gehe dahin. Es ist eine kleine Wohnung über 3 Etagen in einem schnuckeligen, aber kleinem alten Fachwerkhaus. Ich denke es ist zu klein, zumindest für uns alle. Ich gehe davon aus das wir alle 6, mit Noah 7, zusammen eine Wohnung oder ein Haus wollen. Ich sage es der netten Dame, sage ihr auch das wir uns heute Nachmittag etwas anderes größeres ansehen und sehr wahrscheinlich nicht auf sie zurückkommen werden. Trotzdem bedanke ich mich für das Angebot. Ich gehe wieder zurück zur Brandruine und helfe meinen inzwischen angekommenen Mitarbeitern beim Sichern des Hauses. Wir schrauben etliche Spanplatten vor die Fenster und die Haustüröffnung. Die Stadt hat inzwischen Bauzäune aufgestellt und mit einem Räumfahrzeug ist man gerade dabei, die zentimeterdicke Eisschicht von der Straße zu räumen, welche sich vom Löschwasser in der Nacht gebildet hat. Man möchte die Straße wieder für den Verkehr freigeben. Ein Herr von der Kriminalpolizei taucht auf und stellt sich vor. Nachdem er mein Erstaunen sieht, beruhigt er mich und meint, dass es üblich sei, dass die Kripo ermittelt. Er geht hintenherum ins Haus, sieht sich lange um und kommt wieder raus.

„Waren Sie schon drin?" fragt er.

„Nein, das hat die Feuerwehr verboten", antworte ich. „Ich solle warten, bis es freigegeben wird."

„Ja, Sie können jetzt vorsichtig rein, sich umsehen, aber achten Sie darauf, dass kein anderer da rein geht. Ich werde bestimmt noch des Öfteren kommen", sagt er, gibt mir eine Visitenkarte, und geht.

Jetzt gehe ich das erste Mal in das Haus rein und sehe mich um. Nach 5 Minuten will ich nur noch raus, zu schlimm ist das, was ich sehe....

Es ist 16 Uhr und wir sehen uns das Haus an, welches uns angeboten wurde. Die Kinder sind sofort mitgekommen, haben wir doch beschlossen, dass wir alle zusammenbleiben möchten. Obwohl es 2 Jahre unbewohnt ist, ist es noch möbliert und größtenteils eingerichtet. Wir sehen uns um und sind uns schnell einig, dass wir alle zusammen hier gerne einziehen möchten. Die Vermieterin, welche uns erstmal allein umschauen gelassen hat, kommt mit ihrem Mann wieder. Sie stellt ihn uns vor und sagt, dass er das Haus für seine Mutter verwalten soll. Wir besprechen mit ihm alles weitere.

„Dürfen wir hier umräumen? Dürfen wir hier aufräumen, dürfen wir ausräumen und die Sachen zum Sperrmüll bringen?" Es gibt so viel zu fragen. In einem Raum ist sogar ein großes Schwimmbecken.

„Oh, das ist ja praktisch", sage ich.

„Nee", antwortet der Vermieter, welcher Andre heißt.

„Da ist die Pumpe kaputt, das kann man nicht nutzen."

„Dann können wir ja das Wasser ablassen", meine ich.
„Mein Neffe ist bei der Feuerwehr, der kann dann mal mit einer großen Pumpe vorbeikommen und das Becken leersaugen. Es müffelt ein wenig und wir haben die Sorge, dass unser kleines Enkelkind, wenn es anfängt zu krabbeln und jemand aus Versehen die Tür nicht richtig zugemacht hat, ins Wasser fällt."

„Das brauchst du nicht zu machen, ich mache das dann schon in den nächsten Tagen. Wenn ihr umräumt, könnt ihr mir ja die Sachen aus den Schränken, unter anderem aus dem früheren Arbeitszimmer in Kartons räumen. Ich bin noch nicht dazu gekommen zu sortieren, was wegkann und was ich aufheben möchte. Dann könnt ihr mir die Kartons ja in den Keller stellen, und ich hole mir dann jeden Tag ein paar rüber in unser Haus und sortiere da." Innerhalb von 2 Jahren noch nicht dazu gekommen? Ich denke es nur, sage aber natürlich nichts.

„Du musst uns dann sagen, was du für die Sperrmüllentsorgung bekommst", sagt Inge, seine Frau zu mir.

„Na, da werden wir uns schon einig", sage ich und denke, dass man sich schlecht etwas von jemanden bezahlen lassen kann, welcher uns zunächst erstmal umsonst hier wohnen lässt. Ein kleiner Werkraum ist auch noch voll mit Arbeitsutensilien. Da ich ganz dringend einen Werkraum, auch für die Firma, brauche, frage ich ob ich den ausräumen und nutzen darf.

„Da sind noch Sachen drin, die ich aufheben möchte", sagt Andre. „Nächste Woche kommt ein Arbeitskollege vorbei, der das Werkzeug gebrauchen kann. Dann machen wir ihn eben leer." Dann kommen wir zu einem Raum, welcher eine Theke hat und mal als Partyraum diente. Jetzt ist er bis unter das Dach mit

28

Bauschutt und Gartenmöbeln gefüllt.

„Wir hatten hier vor einem halben Jahr einen Wasserschaden, daher ist der Bauschutt. Das kann ich aber nächste Woche mal leerräumen, dann könnt ihr den Raum als Raucherzimmer nutzen", sagt Andre.

„Oh, das wäre klasse", freuen sich daraufhin Meike, Danny und Anka.

„Okay", sage ich, „wir würden gerne hier einziehen und danken euch erstmal."

„Gut", antworten die beiden, „dann lassen wir euch jetzt allein." Wir haben erstmal wieder ein Zuhause! Einen Moment sehen wir uns noch um, und sind immer wieder erstaunt, das alles noch so eingerichtet ist. Die Schränke sind voll, als wäre der Mieter nur mal eben zum Einkaufen. Die Küche ist auch noch eingerichtet. Wir können alles benutzen, nur die Töpfe habe man einem Bekannten versprochen. Wir können sie jedoch erstmal verwenden, danach wäre immer noch Zeit, die Töpfe dem Bekannten zu überlassen. Schon ein wenig merkwürdig, aber egal. Merkwürdig auch, dass im Gefrierschrank noch Sachen waren. Wir teilen uns die Wohnung auf, überlegen, wer welches Zimmer nimmt und überlegen, dass Danny und Anka ihr Reich im bisherigen Esszimmer einrichten sollen. Da es einen Durchbruch zum Wohnzimmer hat, beschließen wir, diesen mit einem Kleiderschrank zuzustellen, damit sie wenigstens einen abgegrenzten Raum für sich haben.

„Also los", sage ich, „es gibt viel zu tun." Ich rufe meinen Mitarbeiter an und schicke ihn einkaufen. Ein Bett und einen Kleiderschrank für Danny und Anka, 2 Matratzen für die beiden, 2 Matratzen für uns und Kleinkram. Das Handy bimmelt und der Vorsitzende eines Kirmes- und Karnevalvereins ist dran. Ich bin dort zwar kein Mitglied, aber habe einen freundschaftlichen Kontakt und bin gerngesehener Gast.

„Hallo Jogi, wir haben gehört was passiert ist", sagt der Vorsitzende den alle nur P.W. nennen.

„Es tut uns allen sehr leid, was dir und deiner Familie passiert ist. Wenn wir Dir irgendwie helfen können, dann sag uns Bescheid."

„Ja, das könnt ihr", sage ich spontan, „ihr könnt hier in die neue Wohnung, in die Rolandstraße 36 kommen. Hier ziehen wir jetzt ein und ich könnte Hilfe beim umräumen gebrauchen."

„Wann?" fragt P.W.

„Jetzt!" antworte ich. Stille am Telefon.

„Ok", sagt er. „Ich gucke mal zu, ob ich jemanden

erreiche. Bis dann." Eine dreiviertel Stunde später klingelt es und es stehen 7 Männer und Frauen vor der Tür!!! Ich kann es nicht fassen. Sowas nenne ich spontane Hilfe ohne langes bla bla. Ich freu mich. Nachdem Meike und ich von allen erst mal in den Arm genommen worden sind, erkläre ich, was sie alle machen können. Sachen aus den Schränken aus dem Arbeitszimmer in Kartons und dann in den Keller. Möbel aus dem Arbeitszimmer nach unten, da richte ich mir ein Büro ein. In das frühere große Arbeitszimmer wollen Sascha und Steffi einziehen. Da müssen dann ein Schrank und ein Bett rein. Sperrmüll in den LKW, der vor dem Haus parkt. Alle beginnen emsig. Wir helfen und organisieren. Sascha hat einen Kumpel, der ihm ein Bett bringt. Meike ruft eine Freundin an und ordert bei ihr Bettwäsche. Ich überlege, wo man die Kartons und die überflüssigen Möbel zwischenlagert. Wegschmeißen dürfen und wollen wir ja nichts. Brigitte, die Frau vom Chef der Helfertruppe ruft mich ins Schlafzimmer, welches Meike und ich übernehmen wollen.

„Jogi", sagt sie, „die Schränke sind ja alle noch voll mit Kleidung. Sind die Leute verstorben, die hier gewohnt haben?"

„Nein", sage ich, „der Mann ist schon länger tot und die Frau seit zwei Jahren im Altersheim. Egal, wenn sie die Kleidung jetzt zwei Jahre nicht gebraucht hat, wird sie die auch nicht mehr haben wollen. Alles bitte rausräumen, wir brauchen ja Platz für unsere Klamotten." Ich halte inne. Für unsere Klamotten? Wir haben doch gar nichts, wird es mir bewusst und hab schon wieder Tränen in den Augen.

„Ach, kannst du auch hängenlassen", sage ich. „Wir haben eh nichts zum reintun." Ich will mich abwenden, sie braucht ja nicht mitzukriegen, dass ich hier rumflenne. Die kennen mich im Verein doch als lustigen Jogi, der immer gut drauf ist.... Zu spät, sie hat es mitgekriegt und nimmt mich in den Arm. Gestern geheult, heute geheult. Ich mutiere doch jetzt wohl nicht zur Heulboje? Das wird schon. Weiter geht´s! Ich rufe meinen Kumpel an. Er soll mir ein Büro einrichten. Schnell. Heute noch. „Am besten jetzt", sage ich ihm. „Und bring deinen Bruder mit, der kann Telefon machen." Ein Glück, dass man mit Dieter und Stefan so reden kann. Vollkommen unkompliziert die beiden. Fragen kurz, was ich haben will, besorgen die Sachen und fangen noch am selben Abend an. Inzwischen ist mein Mitarbeiter da und wir beginnen mit dem Ausladen der Möbel. Dann bauen wir als erstes das Bett für Danny und Anka auf. Dann montiert Danny sich den Kleiderschrank, der als Raumteiler zwischen Wohn- und Esszimmer gestellt wird, so dass jedes Pärchen jetzt ein Zimmer für sich hat.

Gemeinsam haben wir ein großes Wohnzimmer und ich habe ein Büro. Dieses brauche ich, da ich selbstständig bin und mir eine kleine Firma aufgebaut habe. Wir machen Umzüge und Transporte. Abgesehen von Sascha und Danny habe ich noch einige Mitarbeiter. Zum Glück läuft die Firma gut. Wir haben jede Menge Umzugsaufträge und auch die Speditionsfahrten werden immer mehr. Na ja, was heißt Büro? Ein kleiner Raum, in dem es müffelt und ohne Tageslicht. Das können Sascha und Steffi mit Noah besser in ihrem neuen Zimmer, im früheren Arbeitszimmer, gebrauchen. In einer Ecke blüht der Schimmel durch. Ich nehme einen kleinen Teppich, und lege ihn davor knicke ihn und drücke den Rest vor die Wand. Das nutzt zwar nichts, aber man sieht es jetzt nicht mehr. Dieter und Stefan machen mir die Installation der technischen Geräte. Telefon, Fax, Computer, Drucker..., das was man heutzutage halt so braucht. Am späten Abend gehen wir alle erschöpft schlafen.

Nach 3 Stunden wache ich auf. Ich versuche, mich umzudrehen und weiter zu schlafen, aber das geht nicht. Irgendwie rattert es im Hirn. Was hast du erlebt? Ist das alles wahr? Hast du geträumt? Ich mache die Nachtischlampe an und sehe das wunderschöne Schlafzimmer von 1960. Es ist kein Traum. Also muss ich runter ins Büro, ich habe viel zu tun. Ich gehe leise die Wendeltreppe runter ins Büro und mache die Tür zu. Es ist 2 Uhr und die anderen sollen ja nicht wach werden. Jetzt sitze ich hier und muss ein komplett funktionierendes Büro aufbauen. Aber wie? Womit fange ich an? Ich sitze da und grüble. Was ist da passiert? Hätte man es verhindern können? Warum unser Haus? Warum wir? Ging es uns zu gut? Es ist still im Haus.

‚Nee', denke ich nach einer Weile, ‚hier in aller Stille zu sitzen und zu grübeln bringt auch keinem was.' Ich gehe leise nach nebenan in die vollgestellten Kellerräume. Ich suche in den Sachen, die wir erst mal an die Seite stellen sollten, und finde tatsächlich ein altes Cassettenradio. Das nehme ich mit ins Büro und schließe es an. So, jetzt mal überlegen was ich alles tun muss. Was ich vor allem als erstes tun muss. Was ich alles brauche. Am besten alles aufschreiben. Ich nehme mir vor, mich jetzt gehen zu lassen und nicht mehr zu grübeln. An diesem Morgen weiß ich noch nicht, dass es zur Gewohnheit wird, dass ich nachts spätestens um 4 Uhr runter ins Büro gehe und Büroarbeit mache. Und ich werde noch sehr oft alleine sitzen und grübeln....

Tag 2 nach dem Brand

Im Laufe des Vormittags kommt mein Bruder vorbei. Nach einem Herzinfarkt kann er nicht mehr arbeiten. Aber er bietet mir an, leichte Sachen für mich zu erledigen, z.B. Sachen für das Büro zu kaufen. Das ist gut und so mache ich eine Liste, was ich alles brauche. Nach Stunden kommt er wieder. Er hat Kunststoffregale mitgebracht, zwei Wagen für Hängeregister, 50 Ordner, Druckerpapier, Briefumschläge und jede Menge Kleinkram. 50 Ordner hatte ich ja früher auch. Ich baue die Regale auf und stelle schön ordentlich die Ordner hinein. 20 große, 30 kleine. So wie früher... da hatte ich allerdings was zum reintun und abheften, fällt mir auf. Und jetzt? Regale mit leeren Ordnern. Sieht aber wenigstens nach Büro aus. Macht echt was her. Jetzt müssen die Hängeregister und die Ordner nur noch beschriftet und gefüllt werden. Noch ahne ich da nicht, wieviel Papierkram in der nächsten Zeit auf mich und uns zukommt. Jetzt kann es losgehen mit der Büroarbeit, die ich früher nie machen wollte. Es müssen unheimlich viele Leute angeschrieben werden. Ich verfasse einen Brief, indem ich kurz erkläre was passiert ist, teile die neue Übergangsadresse mit und bitte um Kopien der bestehenden Verträge. Das schicke ich an Geschäftspartner, Behörden, Autohäuser und Versicherungen.

Puh, Versicherungen... jetzt merkt man erstmal, wie viele man hat. Wäre jetzt nicht mal Gelegenheit durchzuforsten, ob man die alle noch braucht?

‚Nö‘, denke ich, ‚später!‘ Allein die ganzen Anschriften rauszubekommen. Tante Google wird meine neue Freundin. Zwischendurch zig Telefonate. Für die LKW hingen Zweitschlüssel im alten Büro. Mein PKW-Schlüssel auch. Alle geschmolzen. Also rufe ich bei der Mercedes-LKW-Vertretung an, um Nachschlüssel zu bestellen.

„So einfach geht das nicht", erklärt man mir. „Das geht nicht am Telefon."

„Ok", sage ich, „dann komme ich vorbei."

„Ja, ist gut und bringen Sie die Zulassungspapiere mit", wird mir geantwortet.
„Das geht nicht", erwidere ich, „ich habe Ihnen doch gerade erklärt das unser Haus abgebrannt ist, indem sich auch das Büro befand. Ich habe nichts mehr an Papieren und Sie deshalb auch schon angeschrieben."

„Alles verbrannt?"

„Ja, alles."

„Haben Sie denn gar nichts retten können?"

„Nein." Der Typ fängt an zu nerven.

„Kann ich nicht mit den Originalschlüsseln vorbeikommen?" frage ich.

„Ich denke es ist alles verbrannt?"

„Die Originalschlüssel hatte jeder Fahrer bei sich."

„Ja, aber ohne die dazugehörigen Papiere und Schlüsselnummern geht das nicht." Ist der Typ behämmert? Ich kriege zu viel.

„Verbinden Sie mich bitte mit dem Verkauf, Herrn Engelstiege", sage ich nun unfreundlich. Es dauert einen Moment und ich kann alles nochmal erzählen. Ist ja auch schön darüber zu sprechen. Er ist verständnisvoller und scheinbar auch wesentlich cleverer.

„Herr Ring, ich habe Ihre Unterlagen ja von allen LKW im Computer, ich werde für Sie Ersatzschlüssel bestellen und mich dann bei Ihnen melden." Na also, geht doch. Kaum eine dreiviertel Stunde um und schon ein Problem gelöst. Jetzt bin ich grad in Fahrt und rufe auch noch die Mercedes-PKW-Vertretung an. Dort lasse ich mir sofort meinen Verkäufer des Autos geben und erkläre ihm die Sachlage, welche darin besteht, dass ich zwar den Wagen mit einem Notschlüssel fahren kann, aber nicht abschließen. Der Wagen steht also die ganze Zeit offen an der Straße.

„Herr Ring, dann brauche ich die Papiere." Nun geht das wieder los.

„Die habe ich doch nicht mehr, das habe ich Ihnen doch gerade erklärt."

„Ist denn alles verbrannt? Konnten Sie gar keine Dokumente retten?"

„Nein konnte ich nicht." Er nimmt sich eine kleine Denkpause und antwortet:

„Herr Ring, dann machen wir das mal ganz unbürokratisch! Sie kommen mit dem Wagen vorbei, bekommen für ein paar Tage einen Leihwagen und ich kümmere mich um neue Schlüssel." Na, das ist doch mal eine Ansage. ‚Das ist eben der Vorteil bei so einer Protzmarke', denke ich. Ich schicke Danny zum Autohaus und ein paar Stunden später kommt er mit einem knallroten Zweisitzer wieder. Er strahlt wie ein Honigkuchenpferd, als er aussteigt. Als ich später in die Stadt muss, komme ich kaum in den tiefergelegten Flitzer. Wo ich doch sooo gelenkig bin. Nicht ohne Grund habe ich mir einen SUV geholt. In den nächsten Tagen ignoriere ich die Blicke einfach, die man mit so einer Karre automatisch anlockt. Es währt eh nicht lange, bis die Mitmenschen denken, ich hätte eine Million von der Versicherung bekommen und mir sofort so ein schickes Auto geholt. Ich bekomme einen

Anruf, ich möge doch den Leihwagen zurückbringen. Nachdem ich kurz dachte, dass die neuen Schlüssel da seien, werde ich eines Besseren belehrt. Man erklärt mir, die neuen Schlüssel wären unterwegs, und ich solle den Wagen schon mal bringen, weil es sonst zu lange wäre, dass man mir kostenlos einen Leihwagen zur Verfügung stelle.

„Wie lange dauert das denn jetzt noch?" frage ich daher.

„Och, das wird jetzt schnell gehen", wird mir geantwortet. Scheinbar ist man davon allerdings selber nicht überzeugt, sonst würde man ja nicht den Leihwagen zurückbeordern. ‚Also gut', denke ich, ‚stelle ich den Wagen halt offen an die Straße, wird schon gut gehen. Wir leben ja in Deutschland.'

Es ist Samstag und wir nutzen die Zeit, um am alten Haus aufzuräumen und zu sehen, ob nicht doch noch etwas an persönlichen Sachen im Haus zu sehen ist. Sascha kommt nach einer Weile aus dem Haus zu mir. Er muss schlucken und kann kaum sprechen.

„Ich war vorsichtig in unserer Wohnung und habe mich umgesehen. Im Schlafzimmer habe ich dann Lilly entdeckt..." Lilly ist bzw. war ihre Hauskatze. Er wendet sich ab, weil ich nicht sehen soll, dass ihm die Tränen in die Augen schießen. Als ich meinen großen

Jungen so sehe, habe ich auch wieder feuchte Augen. Ich nehme ihn in den Arm. Er kann erst nach einem Moment weitersprechen.

„Die haben wir doch bei der Feier ins Schlafzimmer gesperrt, weil Oma Christel so eine Angst vor ihr hat. Aus dem Schlafzimmer kam sie dann nicht wieder raus. Sie hat versucht, ins Bett zu kommen und ist scheinbar dann erstickt. Sie steht auf den Hinterbeinen am Bett. Ich kann sie aber nicht da wegnehmen, weil sie zur Eissäule erstarrt ist und mit gefrorenem Löschwasser am Bett und Boden festhängt.

„Ich mache sie frei und hole sie da raus", sage ich zu Sascha. Er kann es nicht. Eine Stunde später rufe ich Roman an und frage, ob er Zeit hat und mir helfen kann. Er sagt sofort zu und kommt zur Brandruine. Ich erzähle ihm, dass wir Lilly gefunden haben und ich bitte ihn, ob er mich zu einem Tierfriedhof bringen kann. Diesen hatte ich einmal im Vorbeifahren gesehen. ‚Wolkenreise' stand auf einem Hinweisschild zu lesen und ich hatte mich damals erkundigt, was es mit dem Tierfriedhof auf sich hat. Ich habe es dann ein wenig belächelt und gedacht, dass man es auch übertreiben kann mit seiner Tierliebe. Na ja, wenn eine alte Person vielleicht ihren langjährigen Wegbegleiter verliert, aber ansonsten? Jetzt habe ich spontan das Bedürfnis, Lilly dort hinzubringen und auch Sascha gefällt die Idee. Also fahren Roman und ich los. Alleine fahren konnte ich jetzt irgendwie nicht und meine Meike möchte ich damit nicht auch noch belasten. Als wir auf der Rückfahrt sind bekomme ich einen Anruf von Sascha.

„Wir haben jetzt auch Dannys und Ankas Katze Bijou unter dem Brandschutt in unserer Wohnung gefunden, möchtest Du die auch dort hinbringen?" Roman sieht nur, dass mir schon wieder Tränen in die Augen schießen und ist erschrocken. So kennt er mich nicht. Ich rufe eine gute Freundin an und erzähle was passiert ist, erkläre ihr, dass Roman und ich gerade Lilly beerdigt haben, ich das jetzt aber nicht nochmal kann. Tina hat nicht so viel über für Haustiere und sagt sofort, dass Sie die andere Katze zum Tierfriedhof bringt. Als Roman und ich zurück sind, kommt Sascha zu uns und sagt:

„Papa, jetzt haben wir auch eure Heidi gefunden. Sie war unter deinem Bett." Heidi ist unsere Katze und war die ersten Jahre sehr scheu. Erst allmählich wurde sie zutraulicher und kam abends zu mir in meinen Sessel und ließ sich kraulen. Anstatt dass sie durch die offenstehende Haustür auf die Straße oder durch die offene Terassentür in den Garten gerannt ist, hat sie Zuflucht unter meinem Bett gesucht. Als später Tina kommt, geben wir ihr auch Heidi mit. Abends bekomme ich ein Bild von Tina per WhatsApp. Es ist vom Friedhof. Sie hat noch drei Blümkes gekauft und Namensschilder vor die Grabstellen gestellt. Da liegen Sie jetzt alle drei nebeneinander. Danke Tina!

Zwei Tage nach der Briefaktion meldet sich die GEU, der örtliche Strom und Wasseranbieter, bei mir.

„Hallo Herr Ring, hier ist Müller von der GEU. Sie haben uns Ihre neue Adresse mitgeteilt und die Strom-, Gas- und Wasserlieferungen an der alten Adresse abgemeldet. Ich bräuchte den Zählerstand, den haben Sie vergessen aufzuschreiben."

„Den habe ich nicht vergessen aufzuschreiben, den habe ich nicht abgelesen", antworte ich.

„Warum nicht?"

„Ich habe Ihnen doch geschrieben, dass unser Haus abgebrannt ist und wir nichts retten konnten."

„Ja, aber den Zählerstand..." Jetzt wird es mir zu viel. Ich schreie ihn an.

„Meinen Sie, wenn das Haus brennt und ich nur noch rauslaufen kann, um mich zu retten, laufe ich erst noch mit einer Taschenlampe in den Keller und lese den Strom-, den Gas- und den Wasserzähler ab? Geht's noch?" Ich lege auf. War jetzt nicht gerade freundlich, aber bei so viel Doofheit.... Natürlich liegen auch bei uns allen immer noch die Nerven blank. Eine Viertelstunde später geht wieder das Telefon.

„Mein Name ist Krause von der GEU. Mein Kollege Müller hat mir gerade gesagt, dass Sie die Lieferung von Strom, Gas und

Wasser an der Elbenstraße abgemeldet haben. Er meinte, er hätte aber gar keine Zählerstände von Ihnen." Ich beiße gleich in den Hörer. Jetzt fühle ich mich komplett verarscht. ‚Arbeiten da nur Flachzangen oder habe ich die beiden einzigen Experten aus Versehen erwischt?' schießt es mir durch den Kopf. Ruhig bleiben.... Ich erkläre auch dem 2. Mitarbeiter der GEU die Situation, die ich vorher seinem Kollegen schon erzählt und davor schriftlich formuliert habe.

„Ach so ist das", sagt Herr Krause und tut so, als habe er verstanden. 10 Minuten später habe ich erneut den netten Herrn Krause von der GEU am Telefon.

„Herr Ring", sagt er, „ich habe da noch eine Frage. Könnten Sie denn jetzt mal nach den Zählerständen sehen?"

„Es ist kein Strom im Haus, der Boden und die Treppe ist zentimeterdick vom Löschwasser vereist und außerdem ist das Haus einsturzgefährdet", entgegne ich.

„Könnten Sie nicht vorsichtig…"

„Nein", sage ich nun wieder heftig, „es ist mir verboten worden, das Haus zu betreten, außerdem bin ich nicht lebensmüde. Wenn Sie die Zählerstände unbedingt brauchen, dann können SIE die ja ablesen. Das Haus ist offen. Auf Wiederhören!" Ich brauche erstmal einen Kaffee.

Ein paar Tage später ruft mein Bekannter vom Fernsehen an. Er fragt nach, ob er von Zeit zu Zeit einen Bericht über uns drehen dürfe, um zu zeigen, wie es weitergeht und wie wir unser ‚altes Leben' wieder zurückbekommen. Ich habe nichts dagegen, sage aber, dass ich erst den Rest der Familie fragen möchte. Meine Meike ist erst dagegen, der Rest überlegt. Zum Schluss sind wir alle der Meinung, was soll's, es lenkt uns vielleicht ein wenig ab. Ich rufe Mike vom Fernsehen an und sage zu. Nachdem einige Tage später bei uns in der neuen Wohnung gedreht wurde, wird es abends ausgestrahlt. Wir haben uns, weil wir aufgeregt waren, so trottelig verhalten und erzählen teilweise so einen Blödsinn, dass wir uns beim Anschauen amüsieren. Es ist das erste Mal nach dem Brand, dass ich meine Meike lachen sehe! Und das ist schön.

Es ist nun 14 Tage her, und ich habe immer noch nichts von meinen PKW-Schlüsseln gehört. Bei meiner telefonischen Nachfrage wird mir bedauernd mitgeteilt, dass sich Verzögerungen ergeben haben. Die Maschine, bei welcher man den elektronischen

Code installiert, sei defekt.

„Dann gehen Sie doch zur nächsten Stelle, wo man das machen lassen kann", rate ich.

„Leider gibt es nur eine Maschine für Deutschland, daher geht das nicht", wird mir erklärt. Das wiederum kann ich mir nur schwer vorstellen, akzeptiere aber die Antwort und warte artig weiter.

Kurz vor Ende des Monats kommt Andre, unser Vermieter rüber und will mit uns einen Mietvertrag machen. Er hat alles vorbereitet und ich unterschreibe. Wir sind so froh, dass wir eine neue Bleibe haben, da gibt es nicht viel zu überlegen. Als er weg ist, lese ich mir noch einmal alles durch. 1200,-- € kalt? Und dann alle qm berechnet? Wo doch überall noch Sachen stehen, Kartons gelagert sind, die er noch nicht alle rüber geholt hat? Genau genommen hat er noch keinen rüber geholt, wie es abgemacht war. Und dann sehe ich noch, dass er nicht ab nächsten Monat Miete möchte, sondern vom ersten Tag an. Der Tag, an dem wir um 16 Uhr kamen und erstmal Sperrmüll abgefahren haben. Seinen Sperrmüll. Egal, was soll's.

Am nächsten Tag sind wir alle auf der Fertighausausstellung in Wuppertal. Die Kinder waren schon einmal hier und ich wurde bereits aufgeklärt. Entgegen meiner Meinung, dass Fertighäuser immer nur eine Etage haben, wurde mir erklärt, das sei Quatsch, heutzutage mache man auch Häuser mit mehreren Etagen. Aufgrund meiner Skepsis, was die Qualität und Isolation angeht, wurde ich auch bereits eines Besseren belehrt. Na ja, ich kenne das nur aus den Siebzigern, da hat ein Bekannter sich so ein Haus gekauft und ich habe ihm damals oft auf der Baustelle geholfen. Da wird sich natürlich was geändert haben in den letzten 30 Jahren. Wir sehen uns ein hochmodernes Ökohaus an, welches von außen urig mit Holz verkleidet ist. Wir gehen rein und stellen fest, dass die Zwischendecken aus Holz sind und von unten sichtbar. Das gefällt uns auf Anhieb gut, da wir auch im alten Haus die alten Holzbalken und Holzdecken freigelegt und somit sichtbar gemacht hatten. Lange lassen wir uns beraten, erklären und alles zeigen.

Natürlich gehen wir mit gemischten Gefühlen nach Hause in unsere Ersatzwohnung. Dort quatschen wir erst mal alle zusammen. Es werden Vorbehalte besprochen und es wird überlegt, andere Häuser zu besichtigen. Obwohl wir uns einig sind, dass wir die urige Gemütlichkeit unseres alten Knusperhäuschens nicht so schnell wieder erreichen können, hat etwas neues Modernes und Ökologisches durchaus seinen Charme. In den nächsten Tagen sehen wir uns weitere Häuser auf der Fertighausausstellung an und lassen uns beraten. Der Nachteil bei allen anderen ist der wesentlich höhere Preis für ein Dreifamilienhaus, eine gewisse Unflexibilität, was die kleinen Änderungen z. B. bei der Raumaufteilung angeht und als wesentlicher Nachteil, dass man mindestens mit einem halben Jahr Vorlaufzeit rechnen muss. Dafür sind wir, und vor allem ich, eigentlich zu ungeduldig. Es wird in den nächsten Tagen noch viel diskutiert und schon erstellte Pläne von Herrn Schulte überdacht. Herr Schulte ist der Herr, welcher uns das erste Haus gezeigt hat. Er ist auch selbst Chef der Firma, welche die Häuser her - und später aufstellt. Alles in einer Hand. Hört sich gut an.

Es hat sich eingebürgert, dass man sich abends im Wohnzimmer am großen Esstisch noch zusammensetzt und sich unterhält. Das ist bei allem mal ein positiver Aspekt. Dann wird erzählt, wer was gemacht, gekauft oder geplant hat. Wer wen getroffen hat, was derjenige gesagt hat, wer sich telefonisch gemeldet hat usw.

„Vorhin hat Katrin angerufen", erzählt Meike von ihrer Freundin, die in Bremen wohnt, „die hat das jetzt erst gehört vom Brand."

„Ich habe vorhin Fred getroffen", berichte ich. „Das ist ein Ex-Arbeitskollege von Fa. ABC, der war auch total erschüttert. Vor Weihnachten habe ich ihn noch beim

Einkaufen getroffen. Als er fragte wie es mir geht, habe ich noch zu ihm gesagt: ‚Uns geht's gut, mir scheint die Sonne aus dem Arsch!' Da musste er noch lachen über meine Ausdrucksweise. Aber wenn es doch stimmt?"

„Ich habe vorhin mit meinem Papa gesprochen", erzählt Steffi. „Er hat gesagt, dass der HSG ein Benefizspiel veranstalten möchte."

„Was ist denn der HSG?" fragt Anka.

„Das ist der Handball Sportverein Gevelsberg, mein Vater ist doch Schiedsrichter, daher der Kontakt. Man hat geplant, am nächsten Samstag ein Spiel zu machen, keinen Eintritt zu nehmen und stattdessen Spendenboxen aufzustellen. Außerdem soll Essen und Trinken angeboten werden und auch der Erlös soll in die Spendenbox. Mein Papa und sein Schiedsrichterkollege haben sich darauf verständigt, auch auf ihr Geld zu verzichten und das Geld zu spenden. Es soll noch in die Zeitung, damit viele kommen. Der Bürgermeister ist auch eingeladen und es wäre natürlich gut, wenn wir alle auch da wären."

„Ich weiß nicht", sagt Meike. „Das ist mir aber peinlich."

„Ja", sage ich, „das stimmt, aber man kann ja nicht durch Abwesenheit glänzen, wenn der HSG so etwas auf die Beine stellt. Ich würde sagen, da gehen wir natürlich alle hin."

„Was ist eigentlich mit Michi los?" fragt Sascha, „die ist die einzige Bekannte, von der man noch gar nichts gehört hat." Michi, die mit vollem Namen Michaela heißt, ist eine Freundin von mir, die ich seit 30 Jahren kenne. Sie war auf allen großen Feiern bei uns eingeladen, Geburtstagen, Silberhochzeit, als letztes noch zu meinem Fünfzigsten. Sie gehört seit 20 Jahren zu unseren Stammgästen auf der Kirmes und ist schon jedes Mal donnerstags beim Probesaufen mit dabei.

„Ich weiß auch nicht", sage ich, „da habe ich komischerweise noch nichts von gehört." Sie hat eine schlimme Krankheit und ist daher schon Frührentnerin. Ihre Krankheit kommt immer schubweise und vielleicht geht es ihr wieder ein wenig schlechter.
Aber einen Anruf oder eine SMS hätte sie doch eigentlich mal machen können. Komisch. Sascha weiß zu berichten, dass eine frühere Freundin von ihm zusammen mit zwei anderen Bekannten eine Spendenaktion ins Leben rufen möchte, um uns zu unterstützen. Sofort meldet Meike wieder Bedenken an.

„Warum?" frage ich.

„Ich bin der Meinung, wenn die drei das machen

möchten, finde ich das in Ordnung. Meiner Meinung nach käme es sehr arrogant rüber, wenn wir das nicht annehmen würden. Es ist doch einfach eine Tatsache, dass wir im Moment jeden Cent an Unterstützung gebrauchen können. Ich war bisher auch immer aktiv, wenn es um eine Spende ging. Und es ist doch schließlich freiwillig. Zudem kann jeder entscheiden, ob er was gibt oder wieviel. Ich fände es gut und würde auch gerne das Angebot annehmen", sage ich. Das sieht der Rest der Familie auch so.

treffen wir uns alle am alten Haus, um meinen Keller leer zu räumen. Alle, das sind abgesehen von den Kindern Freunde und Bekannte aus der Kirchengemeinde. Sie hatten angeboten, zu helfen, wenn es was zu helfen gibt. Das habe ich gerne jetzt angenommen und für heute eine große Aktion geplant. Dazu habe ich alle meine Mitarbeiter bestellt. Es sind mit uns 32! Leute die hier rumwuseln. Außer Tina kümmern sich die Frauen ums Essen und Trinken. Tina packt lieber mit an. Das ist mehr ihr Ding. Das Fernsehen hat sich auch selbst eingeladen, und filmt fleißig. Ich mache erstmal Licht, damit man überhaupt was sieht, den Strom hole ich mir von Familie Ochse nebenan. Nachdem sich alle im unteren Haus und Keller umgesehen haben und uns ihre Erschütterung mitgeteilt haben, wird eine Kette gemacht und erstmal alles nach draußen gebracht, was ich beim Einteilen im Keller für wichtig und erhaltenswert erachte. Im Prinzip halte ich alles für wichtig und erhaltenswert. Mein Keller besteht aus einem Werkraum und 2 winzigen Kriechkellern, in denen Regale stehen. Darin stehen zig Kunststoffkisten, welche alle sortiert und beschriftet sind. Im Werkraum sind elektrische Werkzeuge noch und noch. 10 Bohrmaschinen, 10 Sägen, 15 Akkuschrauber und und und. Dazu kommen

Handwerkzeuge wie z.B. 300 Schraubenschlüssel. Da ich lange in einer Firma gearbeitet habe, in der die hergestellt wurden, konnte ich da jede Menge 2.-Wahl-Schlüssel erwerben. Oder 100 Hämmer. Die habe ich von Haushaltsauflösungen und Kellerentrümpelungen. Mir tat es immer zu leid, sowas wegzuschmeißen. Das rächt sich jetzt. Dazu kommen Schubladenschränke aus Metall, bis oben hin gefüllt mit Schrauben, Nägeln, Zubehörteilen und Kleinwerkzeug. Wir reden hier von zig Tonnen und ich bin froh, dass so viele da sind. Ich habe mir 3 Garagen angemietet, wo die Sachen hingebracht werden können. Dann können wir nach und nach sehen, was noch zu retten ist. Wir schuften alle abgesehen von einer Mittagspause bis zum Nachmittag. Abends sind wir alle erschöpft. Mann, war das eine Quälerei. Ich bin sehr enttäuscht, da ich schon beim oberflächlichen Drüberschauen gesehen habe, dass nur noch wenig zu gebrauchen ist. Weniger das Feuer als vielmehr das Löschwasser haben doch im Keller fast alles vernichtet und verrosten lassen. Ich habe einen Mitarbeiter und meinen Lehrling für die nächsten Wochen abgestellt, damit sie alles trocknen, einölen und sortieren, die E-Werkzeuge ausprobieren und den Rest entsorgen, bzw. den Schrott wie z.B. tausende Schrauben zum Schrottplatz zu bringen. Bei der Menge gibt es wenigstens noch ein paar Euro dafür. Die noch gefüllten über 100 Kunststoffkisten lasse ich mir nach und nach in unsere Ersatzwohnung bringen. Dann kann ich, wenn ich ein wenig Zeit und Muße habe, alles sortieren. Ich bin echt froh über so eine große Hilfe. Das ist schließlich nicht selbstverständlich!

32 Tage nach dem Brand

entscheiden wir uns. Entscheiden wir uns für ein neues Haus. Ein Fertighaus von der Fa. "Ihr Typ Haus GmbH". Nach einem letzten Gespräch und etlichen Erklärungen, einem neuerlichen Preisnachlass und dem Versprechen von Dieter, mit dem ich mich inzwischen duze, sofort anzufangen, unterschreiben meine Meike und ich den Vertrag! Auch die Kinder sitzen dabei. Keiner sagt was.

„Ey, ihr habt gerade ein Haus gekauft, da könnt ihr euch ruhig mal freuen und anstoßen", meint Dieter. Darauf sind wir gar nicht gekommen. Sofort wird Sekt geholt und wir stoßen erst mal alle an. Erst später, als Dieter weg ist, realisieren wir, relativ, was wir getan haben. Es schwirren halt noch so viele Gedanken im Kopf herum. Sollen wir? Sollen wir warten? Wie lange warten? Unser altes Haus war aber auch schön. Hätten wir uns nicht träumen lassen, dass wir uns nochmal ein Haus kaufen. Sollen wir warten bis die Versicherung die Zahlung zusagt? Kann ich das vor Meike und den Kindern verantworten? Bin ich es Meike und den Kindern schuldig? Brauchen tun wir aber sowieso was Neues. Letzten Endes war die Argumentation von Dieter für mich ausschlaggebend.

„Bei einer manuellen Bauweise kann es locker eineinhalb Jahre dauern. Selbst wenn man euch vorher eine Summe X gesagt hat und die auch von der Versicherung übernommen wird, kommt im Laufe der Zeit noch einiges drauf", meinte er. Da muss ich ihm Recht geben, das hört man schließlich immer wieder.

„Unser Zeitplan sieht in etwa so aus, dass erst nach erstellen der Zeichnungen durch einen Architekten der Bauantrag gestellt wird. Das kann 4 bis 6 Wochen dauern. Währenddessen würde bei uns schon geplant und vorbereitet. Sobald der Bauantrag genehmigt ist, beginnt die Produktion der Einzelteile. Das dauert ca. 6 weitere Wochen. Dann könnte das Haus aufgestellt werden. Das dauert normalerweise, wenn alles gut geht, einen Tag. Weil euer Haus größer ist, gehe ich von 3 Tagen aus. Danach werden von uns restliche Außenarbeiten und der Innenausbau gemacht, wofür wir ca. 3 Wochen brauchen. Dann müsstet ihr noch Estrich, die Elektrik und die Sanitärinstallation machen lassen. Schließlich die üblichen Feinheiten wie Tapezieren, Streichen und Laminat legen und dann könntet ihr einziehen." Das wäre dann im Sommer!

Das wäre nicht nur im Sommer, sondern auch zu schön, um wahr zu sein! Am nächsten Morgen rufe ich wieder mal bei der   Mercedes-Vertretung an. Wieder mal wird mir erklärt, dass es noch dauere. Nun bin ich es leid und versuche was anderes. Ich rufe in der Mercedes-Werkstatt in Niedersachsen an. Da wir dort einen Wohnwagen stehen haben, nutze ich oft die Möglichkeit, mein Auto dort während wir Urlaub machen reparieren zu lassen. Ich habe da nicht nur mehr Zeit, sondern die Preise sind auch günstiger als hier. Nachdem ich mein Problem erzählt habe, ist erst mal Stille am Telefon. Ich rechne schon damit, dass jetzt die Geschichte mit der kaputten Codiermaschine kommt. Aber nachdem man mir gesagt hat, dass ihnen das mit dem Brand leidtut, verspricht man, mir rasch zu helfen.

„Wir haben ja alle Daten und Nummern von Ihrem KFZ-Schein hier im Computer und bestellen sofort zwei Schlüssel. Allerdings müssen wir diese in zwei Paketen zu Ihnen senden, da der Versand sonst nicht versicherbar ist." Das hört sich ja mal gut an. Und tatsächlich, nach nur vier Tagen erhalte ich den ersten, nach weiteren 2 Tagen den zweiten Schlüssel. Ich lasse es mir natürlich nicht nehmen, bei der hiesigen Merce-des-Vertretung anzurufen und die Schlüssel dort abzubestellen. Voller Genugtuung erkläre ich, wie ich es geschafft habe, innerhalb von sechs Tagen an zwei Schlüssel zu kommen. Ich kann mir gut das verdutzte Gesicht am anderen Ende der Leitung vorstellen.

39 Tage nach dem Brand

erhalten wir von unserer Sachversicherung einen Brief. Darin steht die für uns erfreuliche Mitteilung, dass die Versicherung den Sachschaden, also Möbel und Inventar komplett übernehmen!

43 Tage nach dem Brand

soll es mit dem Abriss des Brandhauses losgehen. In der Früh wird ein 7 cbm Container vor die Brandruine gestellt. Bisschen merkwürdig. Kein Mensch da und dann nur 7 cbm? Das ist doch was für 'n hohlen Zahn, wie viele wollen die denn da noch hinstellen? Zwei Schüppen vom Bagger, dann ist der doch voll. Da werden im Laufe des Tages wohl noch mehr kommen denke ich. Und apropos Bagger, der ist ja auch noch nicht da. Doch es kommen weder weitere Container noch Arbeiter oder gar der Bagger. Es ist Zeit zum Telefonieren. Ich rufe Herrn Heldmann an. Das ist der Brandsachverständige und Architekt, den wir inzwischen beauftragt haben. Er hat den Abriss organisiert.

„Herrrrrr Riinnnng", sagt er in seiner bedächtigen, für mich in so einer Situation zu bedächtigen Art und Weise.

„Ich weiß auch nicht, was da los ist, ich habe nur einen kurzen Anruf bekommen, dass es Schwierigkeiten wegen der Entsorgung mit dem Kreis gab." Später stellte sich heraus, dass das örtliche Unternehmen gar keine Erlaubnis hatte, solche Mengen an Sondermüll abzufahren und zu entsorgen. Jetzt sucht Herr Heldmann erst einmal ein neues Unternehmen. Das war dann der erste Versuch, unsere Brandruine abzureißen. Ich glaube, das Haus will stehenbleiben. Nix da, so verkohlt wollen wir das auch nicht mehr. Es ist natürlich kein schöner Anblick mehr. Und erste Stimmen werden laut, dass man das ja die ganze Straße runter riecht.

53 Tage nach dem Brand

folgt ein neuer Versuch, die Brandruine, früher unser schönes Haus, zu beseitigen. Es geht schleppend los. Wir fahren alle zum alten Haus, um dabei zu sein. Dort angekommen, sehe ich drei Männer auf der Treppe vorm Haus sitzen. Nachdem ich die Jungs ange-sprochen habe und sie sich als das neue

Abbruchunternehmen vorgestellt haben, frage ich die drei, ob sie das Haus mit einem Hammer abreißen und den Müll mit einer Schubkarre wegfahren wollen.

„Nö, gleich kommt irgendwann ein Container, das dauert aber, der kommt von Dortmund. Und der Bagger müsste auch gleich kommen, der war noch auf einer anderen Baustelle." Ich denke nur, ach du sch..., aber vielleicht bin ich ja nur zu hektisch? Später trifft dann der Bagger ein und auch ein Container wird angeliefert. Es ist für uns alle, die wir zusehen, schon sehr merkwürdig, wie sich der Bagger Stück für Stück weiter in das Haus frisst. Immer wieder werden Einrichtungsgegenstände sichtbar und auch manch eine verstohlene Träne bei den Kindern.

Erst wird das Dach entfernt. Dann holt der Bagger Schaufel für Schaufel verkohlte Einrichtungsgegenstände aus dem Dachgeschoß. Zwischendurch wird ein leuchtendrotes T-Shirt von Danny mit dem Aufdruck einer Rockgruppe sichtbar. Es ist nur zur Hälfte verbrannt. Langsam frisst sich der Bagger durch die Decke tiefer. Eine Stunde später werden die Reste von Saschas und Steffis Einbauküche sichtbar. Zwei Wochen vor der Taufe haben wir die aufgebaut. Danny hat sich bereit erklärt, die ganzen Einzelteile zusammen zu bauen. Da war er alleine zwei Tage dran. Es ist alles verkohlt und man kann nur noch erahnen, dass es vor kurzem nagelneue, helle Möbel waren.

Wir haben uns auf den gegenüberliegenden Bürgersteig gestellt. Im Laufe der Stunden habe ich Gartenstühle geholt, weil ich nicht so lange stehen kann. Es sind Nachbarn und einige Neugierige gekommen und wir schauen alle zu. Da der dicke Container auf der Straße steht, kann der Verkehr nur langsam und einspurig vorbei. Alle Vorbeifahrenden gucken neugierig, nur einige wenige sind ungeduldig oder hupen. Etliche grüßen oder winken uns zu. Plötzlich hält ein Auto kurz vor uns an, der Warnblinker wird eingeschaltet und es steigt eine junge Frau aus. Eine Bekannte von Sascha. Sie kommt auf mich zu, weil ich als erster dastehe, nimmt mich mit Tränen in den Augen lange in den Arm. Sie sagt nichts, kann nicht sprechen, geht wieder zurück ins Auto, und fährt langsam weiter. Kein Fahrer hinter ihr in der Schlange hat sich aufgeregt oder gehupt....

Mittags kommt jetzt schon zum vierten Mal das Fernsehen. Es wird gefilmt, wie das Haus abgerissen wird. Sieht ja auch spektakulär aus. Es ist es zwar kalt aber strahlender Sonnenschein. Schöne imposante Bilder - für jemanden der nicht betroffen ist. Jetzt werde ich zum Interview rüber zum Haus gerufen. Gerade als ich die Straße überquere, fällt ein dicker

Balken aus dem Container auf die Straße. Ich schmeiße ihn wieder in den Container, damit nicht noch ein Auto drüberfährt. Dann soll ich verabredungsgemäß meinem Nachbarn, Herrn Ochse, die Pläne des neuen Hauses zeigen und dabei werden wir gefilmt. Wir tun das wie abgesprochen und ich blättere die Zeichnungen durch und erkläre ein wenig dazu. Wie es bei solchen Zeichnungen oft gemacht wird, hat der Zeichner bei der Außenansicht des Hauses Bäume auf die Terrasse gezeichnet. Außerdem sind zwei Liegestühle ein Sonnenschirm und ein kleiner runder Pool im Garten zu erkennen. Nachdem alles „im Kasten", ist verlässt uns die Fernsehcrew wieder. Kurze Zeit später kommt Elli, eine Nachbarin mit einem Berg selbstgemachter Waffeln an. Stimmt, wir merken, dass wir alle Hunger haben und freuen uns über diese schöne Geste. Dann sehen wir weiter zu, wie unser Haus kleiner wird und sich der Container und der Platz davor füllt.

Vor dem Container wird sortiert. Trotz aller Wehmut keimt bei mir im Stillen eine Hochachtung für das Können des Baggerfahrers auf. Der hat's total drauf, ich glaube, der könnte bei „Wetten dass…" mitmachen. Mit den riesigen Klappschaufeln schafft er es, die Schieferverkleidung vom Rest der Wand zu lösen. Oder er reißt die dünnen Kupferrohre von den Wänden. Er schmeißt sie vor den Container und sofort stürzen sich die Arbeiter darauf. Sie machen kleine Stücke daraus. Dann können sie die privat verscherbeln und sich ein paar Euro dazuverdienen. Es sei ihnen gegönnt. Dafür müssen sie auch den ganzen Tag im Brandschutt rumlaufen und von Hand den Schutt sortieren. Abends sehen wir uns auf dem Lokalsender den Bericht vom Abriss unseres Hauses an. Das ist schon komisch, wenn man sich selber im Fernsehen sieht. Da heißt es dann zwischendurch: „... hat es sich der Hausbesitzer persönlich nicht nehmen lassen, tatkräftig mit anzupacken." Weil ich den Balken aus dem Weg geräumt habe...!

Ein paar Tage später berichtet man uns, dass man sich erzählt, wir hätten eine große Party gefeiert. Hätten uns Sitzplätze geschaffen, gegessen und getrunken und einen Mordsspaß gehabt. Wie man sowas nur machen könnte. Haben die schon mal sowas oder etwas Ähnliches erlebt? Dass man nichts mehr hat? Gar nichts? Nichts von seinem bisherigen Leben an persönlichen Sachen? Bilderfotos zum Beispiel. Private Dokumente, alte Schallplatten. Musikkassetten, Videokassetten oder Dias, welche ich mal digitalisieren wollte... irgendwann mal. Persönlichen Kleinkram, für andere Nippes, für wieder andere wertlos. Dann soll ich im Büro sitzen, als wäre nichts geschehen? Das war ein Lebenswerk, was wir uns mit viel Mühe und Fleiß erschaffen und erarbeitet haben. Wir haben weder im Lotto gewonnen, noch reiche Eltern oder Großeltern gehabt, die uns etwas vererbt haben. Idioten. Und Sascha soll Umzüge machen, als wäre alles in Ordnung? Wenn man in das jetzt offene Haus sieht, erkennt man noch Teile seiner neuen Kinderzimmereinrichtung. Die riesige Anrichte, die jahrelang bei mir im Büro stand und dann in stunden - in tagelanger Arbeit abgeschliffen und weiß lackiert wurde. Die haben wir zu vier Mann nur mit Mühe die Treppe hochtragen können. Daneben die Wiege, da hatte Steffi noch einen „Himmel" für genäht. Und Danny soll Transporte fahren während der Bagger die verkohlten Reste seiner Möbel wegräumt? Die ersten Möbel, die er sich in seinem Leben alleine gekauft hat, nachdem klar war, dass er mit Anka zusammenziehen möchte, dass sie beide bei uns wohnen bleiben möchten. Und wir haben eine Party gefeiert?

Das war unsere Art, Abschied zu nehmen. Unsere Art, loszulassen. Unsere Art, das Ganze zu verarbeiten. Aber was wissen schon diese Idioten. Immer diese Laberei.... Einige gab es tatsächlich, die sich darüber mokiert hatten, dass wir ja scheinbar Millionen bekommen von der Versicherung. Wir hätten ja sogar einen Swimming Pool geplant zu bauen. Manchmal frag ich mich, wer die größeren Idioten sind. Die, die so ein dummes Zeug rumerzählen, oder die, die meinen, uns das berichten zu müssen. Egal, es gibt wichtigeres, als darüber nachzudenken.

Es muss zum Beispiel ein Kellerbauer gesucht werden. Ich rufe mal meinen Kumpel Jürgen an. Der ist auch selbständig und immer am Renovieren. Der kennt bestimmt eine günstige und gute Firma, die so etwas macht. Ich habe keine Erfahrung damit, da ich bisher keine Handwerksfirma gebraucht habe, ich konnte zum Glück alles selber. Aber Maurern gehört nicht dazu.

„Hallo Jürgen, wie du weißt, geht es jetzt daran, wieder aufzubauen. Dafür suche ich als erstes eine Firma, die mir einen Keller bauen kann. Kannst du mir eine empfehlen?"

„Du, das könnte ich selber machen", sagt er und lässt sich von mir alles nähere beschreiben.

„Um Kosten zu sparen, würde ich gerne mit Sascha und Danny mithelfen, ginge das?" frage ich.

„Ich hätte nichts dagegen", antwortet er, „aber wie sieht das mit Versicherungsschutz aus?"

„Das ist kein Problem", erwidere ich. „Zum einen sind wir ja über die Firma versichert, zum anderen habe ich zusätzlich noch extra eine Unfallversicherung abgeschlossen, falls sich jemand beim Bauen verletzt.

Ich bin im Moment vorsichtig."

„Dann mache ich dir mal ein Angebot fertig", sagt er.

„Mich würde es freuen, ich könnte das Geld im Moment auch gut gebrauchen."

56 Tage nach dem Brand

fahren wir ein Wochenende zu unserem Wohnwagen. Wir müssen mal was anderes sehen und ein bisschen abschalten. Das ist leichter gesagt als getan, da natürlich jeder von unseren Bekannten auf dem Campingplatz fragt, wie es uns geht und vor allem wie es weitergeht. Sogar „Dortmund-Heinz" spricht uns an.

„Woher weißt du das?" frag ich ihn.

„Da ich von Dortmund hier hochgezogen bin, gucke ich noch immer gerne Lokalfernsehen aus Dortmund und da habe ich den Bericht gesehen und mir gedacht, den kennst du doch." Ich rede eine Weile mit ihm und berichte, wie weit wir sind und dass ich im Moment einen Kellerbauer suche.

„Du, zwei Wege weiter wohnt der Günter, der hat eine Baufirma, frag den doch mal", sagt Dortmund-Heinz. Das tue ich dann auch sofort. Günter ist auch da und wir unterhalten uns lange. Er sagt, dass auch er mir ein Angebot schicken will. Entgegen meinen Bedenken meint er auch, dass die Entfernung von 250 Kilometern kein Problem sei. Er habe im Moment sowieso nicht so viel zu tun und da käme ihm so ein Auftrag gerade recht. Ich müsste mich lediglich um Quartiere für seine drei Mitarbeiter kümmern und für den Bodenaushub ein örtliches Unternehmen suchen. Es wird noch viel über den Kellerbau an diesem Wochenende gesprochen. Wie war das noch mit dem Abschalten? Egal.

Sofort als wir wieder zu Hause sind, mache ich mich an die Arbeit. Ich erinnere mich, dass ich ein paar Tage nach dem Brand von einem örtlichen Containerunternehmen, mit dem ich gelegentlich zusammengearbeitet habe, eine E-Mail bekommen habe.

„Liebe Familie Ring", hieß es da, „es zerriss uns das Herz, als wir erfahren haben, was Ihnen passiert ist. Wir wünschen Ihnen alles Gute und viel Kraft beim Wiederaufbau. Wenn wir Ihnen mit unserem Containerdienst helfen können, lassen Sie es uns wissen. Der erste Container wäre dann umsonst. Ihre Familie Weiland." Ich fand es schon damals ein wenig zu herzlich, wo es doch nur eine Firma war, mit der ich gelegentlich zusammenarbeite. Mir war auch klar, dass sie gerne den Auftrag des Hausabrisses gehabt hätten, aber da hatte ich ja keinen Einfluss drauf, das hat ja

Herr Heldmann entschieden. Jetzt schreibe ich ihnen, bedanke mich erst mal artig für die Mail und frage an, ob sie die Abfuhr übernehmen könnten. Ich habe daraufhin nie eine Antwort bekommen. Tolles Hilfsangebot.

66 Tage nach dem Brand

erhalten wir die frohe Nachricht, dass auch die Gebäudeversicherung den Schaden voll bezahlt! Das beruhigt uns und ich kann jetzt endlich Fa. Groß beauftragen, den Baugrubenaushub und die notwendige Gartenumgestaltung zu übernehmen. Für den Kellerbau verpflichte ich meinen Kumpel Jürgen, da der Kellerbauer aus Niedersachsen schon zu lange für ein Angebot gebraucht hat. Ich habe es halt eilig.

Schon fünf Tage später beginnen wir mit den Gartenarbeiten. Die müssen ja erledigt sein bevor die Baugrube ausgehoben wird. Ich beginne damit, dass ich eine neue Treppe aus Holz in den Garten baue, da die alte weggerissen wird und wir irgendwie in den oberen Garten kommen müssen. Ich habe mir überlegt, dass ich eine lange Treppe baue, welche ich auf das Dach vom gemauerten WC-Raum in der Einfahrt lege. Das ist das einzige was stehengeblieben ist. Ich werde es wieder anschließen, damit die Bauarbeiter und wir selber es benutzen können. Ein Dixi-Klo für so eine Bauzeit zu leihen, habe ich mich kundig gemacht, kostet sehr viel Geld.

Am nächsten Tag mache ich mich schlau, wie das mit Baustrom ist. Zunächst rufe ich bei der GEU an. Dort wird mir erklärt, dass die GEU den Anschluss macht. Dann muss man einen Elektrobetrieb beauftragen, welcher einen Baustellenzählerschrank an die neuen Kabel anschließt. Dann müssen die Zähler von der GEU kontrolliert und abgenommen werden. Ok, denke ich und möchte sofort die GEU beauftragen. Das geht natürlich nicht, da es einen ganz bestimmten Mitarbeiter gibt, der dafür zuständig ist. Der kommt zunächst mal vorbei, sieht sich die Örtlichkeiten an und bespricht das mit mir. Ich erkläre ihm, dass ich natürlich auch einen Wasseranschluss brauche. Damit hat er jedoch nichts zu tun, er verweist auf einen Kollegen, der dafür zuständig ist. Ich bräuchte ihn aber nicht anzurufen, er würde ihm schon Bescheid sagen. Na denn. Als ich ihn daraufhin frage, wann jemand das machen kann, erklärt er mir, dass zunächst eine Firma das Erdkabel freilegen muss. Das macht die GEU schließlich nicht selber. Na klar. Schon zwei Tage später wird das Kabel von einer Firma freigelegt. Einen Tag später kommen Elektriker von der GEU und machen den Anschluss. Ich frage sie, ob man den

Wasseranschluss auch auf diese Art und Weise macht, also an eine vorhandene Erdleitung etwas anklemmt. Nachdem es von ihnen bestätigt wird, versuche ich bei der GEU den Mitarbeiter zu erwischen, der für den Wasseranschluss auf Baustellen zuständig ist. Das gelingt mir den ganzen Tag nicht mehr. Als ich am nächsten Morgen an der Baustelle vorbeifahren will, sehe ich die Arbeiter der Firma, welche das Loch wieder zuschütten wollen. Ich halte schnell an und kläre die Arbeiter auf:

„Sie brauchen das noch nicht zu verfüllen, da wird noch ein Wasseranschluss gelegt."

„Da der Elektriker fertig ist, haben wir aber den Auftrag von der GEU, das Loch jetzt wieder zu verschließen", wird mir geantwortet.

„Aber das ist doch Quatsch", erwidere ich, „dann muss es ja wieder aufgebaggert werden, wenn der Wasseranschluss gemacht wird."

„Ok", sagt der Arbeiter, „ich rufe mal bei der GEU an und frage nach." Ich habe einen wichtigen Termin und muss weiter. Als ich die Straße hochfahre, sehe ich im Rückspiegel, dass die Arbeiter anfangen, das Loch zuzuschütten. Ich gebe es auf. Als ich später den wasserzuständigen Mitarbeiter der GEU endlich erreiche, erklärt der mir, dass das sowieso Blödsinn war, was sein Elektrokollege gesagt hat. Für das Wasser benötigt man ein Standrohr, welches man sich gegen eine Gebühr vom Bauhof ausleihen kann. Alsdann wird es von der GEU an einen Hydranten angeschlossen. Ah ja. Einfach ist anders. Und der Elektrokollege wusste das nicht oder wollte mich verarschen.

In den nächsten Tagen beginnen wir, unser Gartenhaus ein wenig herzurichten. Es hat immer nur als Lagerraum gedient. Jetzt wollen wir es leermachen und ein wenig schön herrichten. Dann soll es isoliert und ausgebaut werden, damit wir uns auf der Baustelle irgendwo zurückziehen können. Zum Essen, um Baupläne zu lesen, um mit Firmen zu sprechen oder um uns vor dem Regen schützen zu können. Es wird unsere Kommandozentrale!

73 Tage nach dem Brand

bekomme ich einen Anruf von meinem Freund Jürgen. Er teilt mir mit das er nach langem Warten endlich die Bewilligung erhalten hat, eine Kur zu machen. Die wird in drei Wochen beginnen, vier Wochen dauern und danach wird er noch zwei Wochen dranhängen, welche auch schon bewilligt wären. Wenn ich nicht so viel Zeit hätte zu warten, würde er es mir auch nicht verübeln, wenn ich jemand anderen beauftragen würde. Schweren Herzens sage ich Jürgen daraufhin ab.

Nun heißt es, einen neuen Kellerbauer zu finden. Sofort mache ich mich ans Telefonieren. Sascha hat von jemandem eine Telefonnummer eines Ennepetaler Unternehmens erhalten. Ich rufe an, erkläre unsere Situation, bitte zunächst um ein Angebot und faxe ihnen die Baupläne des Architekten. Schon zwei Tage später habe ich ein Angebot, welches sogar günstiger ist als das von Jürgen. Erst beim genaueren Studieren des Angebotes fällt mir auf, dass man vergessen hat, die Deckenplatte mit einzukalkulieren. Ich rufe an und mache die Sekretärin der Firma darauf aufmerksam. Sie entschuldigt sich und verspricht das Angebot schnell zu ändern. Am nächsten Tag erhalte ich das neue Angebot und merke, dass dieses Mal die Treppe in den Keller vergessen wurde. Wieder rufe ich an und schon zwei Stunden später bekomme ich das dritte Angebot zugefaxt. Ich studiere es wieder und möchte es zusagen. Doch so schnell geht das nicht, da mir am Telefon gesagt wird:

„Tut uns leid, aber das Angebot ist nicht verbindlich, wir wissen ja nicht, wie dick die Bewährungseisen seien sollen, welche vom Architekten vorgeschrieben sind." So langsam geht mir die Firma auf den Keks.

„Ob die Eisen nun 18 mm oder 22 mm dick sind, das macht doch wohl nicht so viel aus."

„Oh doch", wird mir erklärt, „das ist ja für uns ein anderer Einkaufspreis."

„Aber haben Sie denn keine Durchschnittswerte? Sie machen das doch nicht zum ersten Mal", sage ich.

„Nein, da brauchen wir vom Architekten die genauen Maße."

„Die kann ich Ihnen nicht geben, da der Architekt momentan im Urlaub ist. Können Sie denn nicht einen ca. Preis für das Moniereisen angeben, ich nagle Sie doch hinterher nicht auf einen Cent fest", versuche ich es.

„Nein, das tut mir leid, das können wir nicht machen", bekomme ich zur Antwort.

„Dann tut es mir auch leid, dann kann ich Ihnen den Auftrag nicht geben", sage ich nun. Ich bin es leid. Und Schwupps, brauchen wir wieder einen neuen Kellerbauer! Na, das fluppt ja.

Ich glaub im Nachhinein, die hatten gar keinen Bock mehr auf den Auftrag. Ok, weitersuchen. Am nächsten Morgen frage ich Marc, Chef der Firma Groß, mit dem ich mich inzwischen duze, ob er mir nicht einen Bauunternehmer für meinen Keller nennen kann. Er führt zwei Gespräche mit seinem Handy... Und sagt das er für heute Nachmittag jemanden zur Baustelle bestellt habe. Am Nachmittag stellt sich ein älterer kleiner Mann als Martin Gent vor. Martin ist locker drauf und wir duzen uns sofort und besprechen alles. Auch dass wir selber mithelfen möchten, um Kosten zu sparen, stellt für ihn kein Problem dar. Martin ist mir sofort sympathisch, vielleicht weil er, wie ich auch, eine kleine Wampe hat. Ich frage, ob es bis zum Beginn der Kirmes zu schaffen sei, den Keller zu bauen und die Decke darauf zu gießen. Er meint, das würde knapp, aber es sei zu schaffen, er könne schon in der nächsten Woche anfangen. Das hört sich gut an! Zwei Tage später habe ich sein Angebot und er meine Zusage.

96 Tage nach dem Brand

werde ich von Marc zur Baustelle gerufen. Er ist gerade dabei, die Baugrube auszuheben. Zunächst hat er das einen Mitarbeiter machen lassen, doch jetzt wird es scheinbar schwierig und er übernimmt selbst das Baggern. Das hat er drauf. Das wär glaub ich auch ein Kandidat für „Wetten Dass...".

„Jogi, jetzt haben wir ein Problem", sagt er. „Ich muss jetzt hier die letzten Reste an der Wand zu eurem

Nachbarn abknabbern und die Fundamente deines alten Kellers rausreißen. Wenn ich dabei nicht ganz vorsichtig bin und aus Versehen ein paar Steine löse, bricht hinterher noch die Außenwand eurer Nachbarn zusammen." ‚Jou, das wär's noch‘, denke ich. Zusammen mit Marc sehe ich mir die Zeichnungen unseres Architekten an.

„So wie ich das sehe, ist unten zunächst ein breiteres Bruchsteinfundament, wie es früher üblich war. Darüber, wenn ich das richtig lese, haben wir eine gemeinsame Kellerwand. Stellt sich die Frage, ob es doppelt oder einfach gemauert wurde. Wenn es doppelt ist, könnten wir unsere Seite ja vorsichtig abtragen", sage ich zu Marc.

„Dazu müsste ich wissen, wie dick die Wand ist", antwortet er.

„Ich frage bei Familie Bauer, ob ich durch ihren Keller bohren darf. Ich möchte damit die Wandstärke bestimmen", sage ich, schnappe mir eine Bohrmaschine und klingle bei Bauers. Oh Wunder, es wird mir ohne viel Gedöhne gestattet. Ich bohre zunächst durch die Wand und lass dann den Bohrer drin stecken. Marc misst aus, wie weit der Bohrer rausguckt und rechnet dann die Wandstärke aus.

„Die Wand ist nur 18 cm dick, viel zu wenig. Bauers

haben gar keine eigene Kellerwand. Das ist eure Wand und daran ist ihr Keller gebaut, da können wir nichts mehr wegnehmen."

„Ich habe da so eine Idee, ich ruf mal die Statikerin an", sage ich. Am Telefon erkläre ich ihr kurz das Problem und bitte sie, vorbeizukommen. Sie hat zum Glück Zeit und ist auch schon eine Stunde später da. Ich schildere ihr kurz die Sachlage und gebe ihr Zeit zu antworten.

„Hmmm, das haben Sie überprüft, dass es eine gemeinsame Wand ist? Ich kann mir das gar nicht vorstellen. Die Nachbarn konnten doch nicht einfach die Wände an Ihre Wand bauen."

„Kann ich mal etwas vorschlagen?" frage ich Frau Sawatz. „Nach Ihren Zeichnungen kommt unter die Kellerdecke sowieso ein hängendes Fundament von 1 m Breite für die Brandwand. Wenn man jetzt die Kellerwand einen Meter von der Grenze baut und dazwischen alles mit Beton zugießt, bräuchte man doch keine Angst zu haben, dass die Kellerwand zusammenbricht oder die Hauswand darüber Risse bekommt. Und wir hätten ein umso größeres Fundament für die Brandwand! Meinen Sie das ginge?" Sie überlegt ein wenig, nickt und sagt:

„Die Idee ist gut, so könnte man das machen, ich

werde das mal alles berechnen und mache dann die Statik so fertig. Sie müssen nur bedenken, dass Ihnen an der Außenseite des Kellers zum Nachbarn hin ein Meter Grundfläche verloren geht und Mehrkosten für den Beton hinzukommen."

„Das ist mir klar", entgegne ich, „die Mehrkosten werde ich überleben und wenn man bedenkt, was ich früher für einen kleinen Keller hatte, tun mir die neun Quadratmeter weniger auch nicht weh." Daraufhin verabschiedet sie sich.

99 Tage nach dem Brand

hat Marc die Grube fertig ausgehoben und begradigt noch ein wenig die Ränder. Plötzlich steht Werner, mein Nachbar ganz aufgeregt vor mir.

„Mein Telefon klappt nicht mehr", sagt er.

„Du kannst mein Handy nutzen, der Marc hat deine Leitung zerstört", scherze ich.

„Ja ehrlich?" fragt er.

„Das war ein Scherz Werner, wie soll Marc denn auf meinem Grundstück eine Telefonleitung von dir zerstört haben?" Erst nach langem Suchen entdecken wir, dass tatsächlich Werners Telefonkabel quer und diagonal unter meiner Einfahrt verlegt war und Marc sie tatsächlich durchgerissen hat. Schöne Bescherung. Kann ja nicht alles glatt gehen. Wäre ja auch langweilig.

Am nächsten Tag stellen wir neben dem Gartenhaus einen Strandkorb auf. Ich will meiner Meike damit eine kleine Freude machen, sie hat sich schon so lange einen gewünscht und ich habe ihn günstig erworben. Da kann sie sich nun reinsetzen und hat den totalen Überblick über die gesamte Baustelle und Gevelsberg.

110 Tage nach dem Brand

beginnen wir, die Bodenplatte zu gießen. Ein LKW nach dem anderen füllt seinen Inhalt in die Baugrube. Nachdem wir uns gestern in der heißen Sonne einen Sonnenbrand gefangen haben, weil wir mit freiem Oberkörper den ganzen Tag Eisen verlegt, gebogen, geschleppt und mit Draht verrödelt haben, ist das heute der einfachere Part. Es muss nur der Schlauch der Betonmischer geführt werden und das Ganze mit Vibratoren verdichtet werden. Als wir abends fertig sind, sind wir erschöpft aber auch stolz. Wir haben nun eine Baugrube mit Betonboden. Das ist der Beginn des neuen Hausbaus!

ist der Keller soweit fertig, dass jetzt bald die Decke drauf gegossen werden kann. Seit heute Mittag sind LKW gekommen und mit dem Kran werden Fertigbauelemente zunächst auf die Kellermauern gelegt. Morgen werden Armierungskäfige daraufgelegt und verdrahtet und dann soll übermorgen die Decke gegossen werden. Martin taucht auf der Baustelle auf und will sehen, ob alles klappt. Als ich ihn begrüße, meint er:

„Hör mal Jogi, du könntest dir viel Arbeit beim Kabelverlegen und Wasserleitungsverlegen sparen, wenn du die Leitungen einfach auf die Platten legst. So brauchst du „nur" die Löcher bohren, wo die Leitungen runtergehen. Dann gießen wir die Decke drauf und fertig." Das hört sich gut an. Man spart sich das Leitungsverlegen auf Putz unter der Decke und hätte nur noch die senkrechten Kabel auf der Wand. Dazu ist natürlich notwendig, vorher zu überlegen, wo was hinkommt. Wo kommen die drei Waschmaschinen hin, wo brauche ich noch Wasser, z.B. in die Einfahrt für die Toilette? Und wo soll ein Wasseranschluss für die Terrasse und den Garten hin? Wo kommen dreiadrige Kabel hin, wo fünfadrige? Wo kommen Starkstromkabel für Maschinen hin, wo Erdkabel für die Terrasse und den Garten? Wo kommen die

Schaltschränke hin? Früher konnte man ein Kabel fürs Licht und dann weiter zur Steckdose legen. Das darf man heute auch nicht mehr, heute muss man dafür zwei Kabel ziehen und sie einzeln absichern.

Ich fahre in die Wohnung und fange am PC an, Pläne zu machen, wo welche Leitungen hinsollen. In die Werkstatt sechs oder besser zehn oder noch besser 16 Steckdosen, dann noch eine Mastersteckdose, CE-Steckdosen, eine CE-Steckdose zur Einfahrt hin für Kirmes usw. Nachdem ich die halbe Nacht dran war, ich habe heute mal nicht bis 4 Uhr geschlafen wie sonst, sondern bin schon um 1 Uhr runter ins Büro gegangen, gilt es doch jetzt, Material zu kaufen und auf der Baustelle Löcher in die Betonplatten zu bohren und Leitungen zu verlegen. Sind ja nur knapp 70 Löcher mit 25 mm Durchmesser, natürlich von unten in die Decke gebohrt, damit man so nah wie möglich an der Wand ist. Von oben zu bohren wäre einfacher, aber da sieht man ja nicht wo man rauskommt. Dann noch „schnell" 80 Meter Kupferleitung verlegen. Zum Glück muss ich das nicht mehr wie früher löten, sondern habe dafür eine Rohrquetsche. Dann müssen noch 350 Meter Kabel verlegt werden. So viel hätte ich auch nicht gedacht. Jemand muss zwischendurch zum Baumarkt und Nachschub holen. Nach vielen Stunden sind wir auch damit fertig und am nächsten Tag wird die Decke gegossen.

Als wir abends in die Wohnung kommen, habe ich einen Brief von Rechtsanwalt Schön im Büro liegen. Ich mache ihn auf, lese und bin verwirrt. Hat die Fa. Sommer & Schulz tatsächlich einen Anwalt beauftragt. Und dann noch Herrn Schön. Den kenn ich doch. Der ist eigentlich ganz nett, für den haben wir auch schon seinen Büroumzug gemacht. Der kennt mich doch. Weiß der nicht was passiert ist? Sollte er das nicht mitbekommen haben, was wir für Probleme haben? Und dann schreibt der noch so einen Brief? Wegen so einer Kacke? Das hätte ich aber nicht von ihm gedacht. Man muss doch als Anwalt auch mal Gefühle zeigen oder nicht? Man hätte doch sagen können, dass Familie Ring genug durchgemacht hat, dass man das Mandat ablehnt. Oder? Gehen denn die Anwälte ganz emotionslos an so was? Ich übergebe die ganze Angelegenheit meinem Anwalt, soll der sich mit Herrn Schön auseinandersetzen, ich bin immer noch ver- blüfft. Naiv, nicht wahr?

Noch ahne ich nicht, wieviel Ärger uns Herr Schön in den nächsten Wochen und Monaten noch bescheren wird. Dagegen war die Sache mit Sommer & Schulz ein Furz!

Am nächsten Morgen rufe ich bei der Telekom an. Das

bringt mich zwangsläufig auf andere Gedanken.

„Ring, ich wollte nachfragen, wann unser Telefonanschluss gelegt wird."

„Moment, ich verbinde."

„Ring, ich wollte nachfragen, wann unser Telefonanschluss gelegt wird."

„Ist der denn schon beantragt?"

„Ja klar, sonst würde ich ja nicht anrufen und nachfragen."

„Wann haben Sie das denn gemacht?"

„Vor fünf Wochen."

„Das müssen Sie aber schriftlich machen."

„Habe ich doch, bei Ihnen!"

„Und warum rufen Sie jetzt an?"

„Wegen eines Termins, weil ich nichts mehr von Ihnen gehört habe und weil die Zeit drängt."

„Wieso?"

„Weil jetzt noch ein Graben ums Haus offengelegt ist, der wird aber in zwei Tagen verschüttet."

„Warum? Lassen Sie den doch auf, bis wir den Anschluss gemacht haben."

„Das geht nicht, wir haben in ein paar Tagen eine Kirmes in der Stadt. An der Adresse, wo der Anschluss gemacht werden soll, betreiben wir einen Bierstand. Wir haben allerdings die Auflage von der Stadt bekommen, aus Sicherheitsgründen den Baugraben zu verschließen. Deswegen wollte ich nun fragen, ob das denn vorher noch klappt mit Ihnen."

„Ach so, verstehe."

„Und?"

„Kann ich Ihnen nicht sagen."

„Warum nicht?"

„Weil eine von uns beauftragte Firma die Ausschachtarbeiten macht, der Auftrag ist auch raus, aber wann die das machen, weiß ich nicht. Die haben ja noch mehr Aufträge!"

„Aber bei uns braucht doch gar nichts ausgeschachtet werden. Der Graben liegt doch offen."

„Das hätten Sie dann auch in den Antrag schreiben müssen."

„Das habe ich, auch den Termin, bis wann das geschehen sein muss. Können Sie mir nicht mal sagen, welche Firma das ist, dann kann ich ja dort mal anrufen."

„Datenschutz, das darf ich nicht."

„Können Sie dann vielleicht mal bei der Firma anrufen und fragen, ob das noch in den nächsten zwei Tagen klappt oder können Sie vielleicht einfach einen Techniker in den nächsten zwei Tagen vorbeischicken?"

„Ich kann ja mal versuchen, ob ich jemanden erreiche, aber versprechen kann ich nichts. Die haben ja auch noch mehr zu tun, wissen Sie?"

„Ja, das wäre sehr nett, auf Wiederhören", flöte ich in den Hörer, im krassen Gegensatz zu dem, was ich denke. Was für Experten haben die da am Telefon? Jeden Moment während des Gespräches denke ich, ich werde verarscht und der Gesprächspartner gibt sich als Elvis Eifel aus dem Radio zu erkennen! Jetzt muss ich erstmal zur Baustelle.

Zum Keller runter haben wir ja jetzt nur ein großes Loch. Da kann es reinregnen und vor allen Dingen kann da auch jeder rein. Letzten Endes hat die GEU mich informiert, dass man keinen Strom ins Haus legt, wenn der Zutritt zum Haus nicht verschlossen werden kann. Ich habe mir deshalb überlegt, anstelle einer Falltür zum aufklappen baue ich ein kleines Haus über die Treppe auf die Bodenplatte. Ich fertige eine Balkenkonstruktion, schraube Spanplatten dran und setze eine Tür ein. Dann baue ich ein beim Abriss beiseitegelegtes Fenster ein. Jetzt noch alles mit Dachpappe verkleiden, damit es nicht reinregnet und fertig ist Jogi sein klein Häusken. Kaum steht es, kommt auch schon ein Bekannter vorbei und meint:

„Oh, ihr habt aber klein neu gebaut, ist das Geld alle?" Da mussten wir erst mal alle lachen.

Es klappt natürlich und erwartungsgemäß nicht mit dem Telefonanschluss. Was allerdings funktioniert, ist der Strom und der Wasseranschluss. Fast reibungslos. Fast, weil man so ein dickes Kabel genommen hat, mit dem man nicht durch die von der GEU zur Verfügung gestellte und von uns extra eingemauerte Mauer-durchführung kam! So musste daneben noch ein größeres Loch gebohrt werden. Irgendwie sind meine Angaben, was ich denn alles an elektrischen Geräten und vor allem, was ich alles für Maschinen in meinem Keller, der späteren Werkstatt anschließen möchte, falsch verstanden worden.

„Wollen Sie das Riesenrad gegenüber hier anschließen?" fragt der Elektriker scherzhaft. Aber terminiert hat die GEU das auf jeden Fall gut. Nachdem die sie ihre Arbeiten beendet haben, verlegen wir die Abflussrohre in den Graben. Danach verfüllt Marc alles. Wir haben jetzt Strom im Haus! Und

Wasser! Und Abflussrohre! Alles ist pünktlich fertig geworden und wir können Kirmes feiern. Auf der neuen Kellerdecke mit eigenem Strom und mit eigenem Wasseranschluss. Jetzt muss ich nur noch den provisorischen Stromkasten in der Einfahrt abklemmen lassen und das Wasserstandrohr zurückbringen.

Gegen Mittag wird es plötzlich hektisch. Ein Rettungswagen der Feuerwehr kommt mit Blaulicht und Martinshorn und hält vor unserer Baustelle. Wir sind alle erschrocken und sehen wie die Sanitäter kurze Zeit später Herrn Bauer auf der Trage ins Auto bringen. Als ich Frau Bauer mit Ihrer Tochter sehe, rufe ich ihnen zu, was denn passiert sei. Doch ich ernte nur einen bösen Blick von der Tochter und ein Gemurmel wie:

„...an allem seid ihr schuld..." Häh, was ist denn da los? Später als ich die Tochter wiedersehe, frage ich erneut.

„Was ist denn passiert? Und habe ich das richtig gehört, das wir an etwas Schuld sind?"

„Nein, nein", antwortet sie, „da musst du was falsch verstanden haben. Mein Papa ist die Treppe runtergefallen und hat sich ein Bein gebrochen."

„Oh, das tut uns leid, grüß ihn schön von uns, wenn du ihn besuchst", sage ich zu ihr.

Seit über 20 Jahren machen wir auf der Gevelsberger Kirmes unseren Bierstand. Seit wir unser Haus gekauft haben, welches mitten auf der Kirmes steht. Gestanden hat. Vom kleinen Getränkewagen in der Einfahrt wuchs der Stand von Jahr zu Jahr und mauserte sich zum größten Privatstand. Da es im ersten Jahr, logischerweise weil unerfahren, einige Pannen am Anfang der Kirmes gab, haben wir beschlossen, jeweils einen Abend vorher das erste Fass anzustechen und ein Probesaufen zu machen. Da wir an diesem Abend die Getränke umsonst ausgeben, kommen nur die ganz guten Stammkunden und Freunde, die beim Aufbau geholfen haben oder bedient haben und die Nachbarn die jetzt fünf Tage lang den „Lärm" haben. Seit dem ersten Jahr kommt auch Michi zu diesem Probesaufen. Auch wenn man sich ein Jahr nicht gesehen hat, donnerstags abends ist sie da. Da wir seit dem Brand nichts von ihr gehört haben, sind wir alle gespannt, ob sie dieses Jahr auch kommen wird. Und tatsächlich kommt sie. Sie begrüßt mich und fragt, ob sie mich mal in den Arm nehmen darf „nach dem allem" wie sie sich ausdrückt.

„Ich dachte, du hättest das gar nicht mitbekommen, wir haben
nichts gehört von dir", sag ich zu ihr.

„Doch klar, ich habe ja nur aus dem Fenster sehen

müssen, da konnte ich ja die riesigen Flammen sehen. Ich wohne doch nur zwei Straßen weiter oben am Berg und von uns aus hat man einen Überblick über ganz Gevelsberg", sagt sie. Nun bin ich doch erstaunt, versuche aber mir die Enttäuschung nicht anmerken zu lassen und widme mich wieder einer Frau, mit der ich gerade im Gespräch war. Interessanterweise hat die mir gerade berichtet, dass sie mal vor Jahren als Mieterin bei Bauers gewohnt habe. Sie hatte keine gute Erinnerung daran.... Scheinbar hat das mit dem Nichtsanmerkenlassen nicht so geklappt. Wenig später sehe ich, wie Michi die Straße runtergeht, ohne Tschüss zu sagen. Sonst war sie immer die letzte, die ging....

In den nächsten Tagen feiern wir Kirmes. Auch darüber sind einige erstaunt und meinen, uns mitteilen zu müssen, Sie würden nicht verstehen, dass wir, nach allem, was wir erlebt haben, hier jetzt fröhlich Kirmes feiern können. Was wissen die denn. Zum einen mussten wir aus Sicherheitsgründen während der Kirmes den Kran abbauen und die Baustelle ruht sowieso. Zum anderen sind wir froh, uns mal ablenken zu können und zuletzt bleibt ja doch ein bisschen Geld über. Und das können die Kinder gut gebrauchen. Wir haben trotz allem Spaß bei der Arbeit an unserem Bierstand und einen Abend ist auch mal wieder das

Fernsehen da und filmt. Die Crew ist schon am frühen Abend da und hat jede Menge Spaß. Sie gehen selber über die Kirmes, kommen zwischendurch aber immer wieder. Sie filmen und trinken auch selber mal ein Pilsken. Um 23 Uhr filmen sie noch einmal, wie wir am Wirbeln sind. Es ist eng in der Hütte mit den vielen Leuten, unseren „Bedienungen" und den Leuten vom Film. Zum Schluss noch mal eine Großaufnahme von meinem, inzwischen mit einem riesigen Bart geschmücktem Gesicht.

„Der wird erst abrasiert, wenn das neue Haus steht", erklärt der Reporter in die Kamera, denn so hatte ich ihm das auch vorher erzählt. Entgegen meinen Prinzipien, dass wenn ich einmal was sage, es dann auch so durchziehe, breche ich ein paar Wochen danach meinen Schwur. Als es Meike wieder so richtig schlecht geht und sie alles, wirklich alles nur noch negativ sieht, will ich sie trösten, irgendwie aufputschen.

„Schatzi, was kann ich denn Gutes tun, um dich ein wenig fröhlicher zu machen, dich mal wieder lächeln zu sehen?" frage ich sie. Ohne lange zu überlegen, sagt sie mit tiefer Inbrunst:

„Du könntest dir den Bart abrasieren, du kommst mir inzwischen ganz fremd vor." Also gut, wenn´s nur das ist, um sie aufzuheitern, breche ich meinen Schwur und rasiere mich. Wir haben noch einen Tag Kirmes und dann ist auch die kurze Ablenkung vorbei. Die Laune ist bei uns und den Gästen gut und ausgelassen. Sehr viele der Gäste kennt man und alle sind gut drauf. Aber am besten war der nicht mehr ganz nüchterne Kunde aus Schwelm.

„Isch komme seit Jahren zu euch und finde das immer soooo schön bei euch, nichts hat sich bei euch verändert." Seine Kumpel sehen ihn erstaunt an und auch wir horchen auf.

„Nichts hat sich verändert? Und alles ist so wie immer?" frage ich ihn belustigt.

„Nee, alles so schön wie immer." Nun können seine Kumpels nicht mehr an sich halten.

„Ey, du Trottel, wo stehst du denn hier drauf? Das ist doch nicht die Einfahrt, wo wir sonst stehen. Hast du nicht mitbekommen, dass den Rings das Haus abgebrannt ist, was hier stand?"

„Ohh, da habbich gar nicht drauf geachtet." Trotz allem müssen wir alle laut lachen.

Zwei Tage später kommt Anne, die Tochter von Bauers zu mir.

„Hallo Anne", begrüße ich sie, „was macht der Papa,

wie geht´s ihm?"

„Das ist jetzt erstmal nebensächlich", poltert sie unwirsch los, „wir haben ein ganz anderes Problem." Nebensächlich? Dass ihr Papa im Krankenhaus ist, ist nebensächlich? ‚Was haben die denn für ein wichtigeres Problem, als den kranken Vater im Krankenhaus?' denke ich.

„Wir haben den ganzen Keller feucht. Da seid ihr dran schuld!"

„Wieso wir?" frage ich.

„Weil es die letzten Tage so stark geregnet hat, da ist es von eurer Bodenplatte alles bei uns durch die Kellerwand reingelaufen."

„Das tut mir leid", sage ich, „aber da können wir doch nichts zu, wenn es so stark regnet. Was sollen wir denn machen? Die Baustelle überdachen?"

„Was ihr machen sollt? Ihr sollt uns den Schaden bezahlen", faucht sie.

„Nun mal langsam", entgegne ich, „wir können doch nichts dafür, dass eure Hauswand nicht wasserdicht ist. Ich habe doch des Öfteren schon gesagt, dass man ja jetzt, wo die Wand freiliegt, diese auch verputzen kann. Aber das wollt ihr ja nicht. Jetzt kannst du uns doch nicht dafür verantwortlich machen, wenn es feucht wird bei euch. Außerdem haben wir auf unsere Kosten extra für euch eine Plane anbringen lassen, mehr können wir doch nicht machen. Und im Übrigen sind wir natürlich versichert."

„Ja, dann melde das deiner Versicherung, tschüss", sagt sie und stampft davon. Zurück bleibt ein kopfschüttelnder, grübelnder Jogi.

Die nächsten Tage auf der Baustelle verbringe ich überwiegend untertage. Ich fange an, die Kellerräume, vor allem meine Werkstatt, fertig zu bekommen. Nachdem ich die Wasserpfützen, welche noch von der Zeit sind, als es noch keine Bodenplatte gab, alle trocken gesaugt habe und sämtliche Stützen abgebaut habe, fange ich an, die von der Decke hängenden Kabel durchzumessen.

Ich beginne, sie zu beschriften, in Leerrohre zu verlegen und Steckdosen und Schalter zu installieren. Dann kommen die Kupferleitungen dran für das Wasser.

Währenddessen ist draußen wieder der Kran aufgestellt worden. Die Bauarbeiter sind dabei, auf der Bodenplatte zunächst die vom Bauamt vorgeschriebene Brandschutzmauer zu bauen. Die besteht aus sehr schweren Spezialsteinen, welche nur einzeln mit dem Kran aufgesetzt werden können. Das ist sehr umständlich. Teuer ist es auch und wir bekommen dafür auch nichts von der Versicherung. Die Brandschutzwand hat es ja vorher auch nicht gegeben, sagte man uns. Nee, die Vorschrift hat es damals ja auch noch nicht gegeben. Und vor allem haben wir selber ja nichts davon, die ist nur dafür da, unseren Nachbarn zu schützen. Toll, aber Vorschrift ist nun mal Vorschrift.

Als ich gerade eine Verschnaufpause von meiner stickigen Kellerarbeit an der frischen Luft mache, kommt ein Motorradfahrer angefahren und hält vor der Baustelle. Ich weiß nicht, was er will und erkenne ihn auch nicht. Er nimmt seinen Helm ab und ruft:

„Hallo Jogi, wie läuft´s bei euch denn so? Habe ja schlimme Sachen gehört." Ich gehe auf ihn zu, erkenne ihn immer noch nicht und das merkt er.

„Erkennst du mich nicht? Ich bin‘s, Axel."

„Nee", stottere ich nun, „habe dich jetzt nicht in der Motorradkleidung und mit Helm erkannt." Ehrlich gesagt auch nicht, als er den Helm abgenommen hat und das schmale Gesicht mit den Ringen unter den Augen und den kurzen Haaren zum Vorschein kam, aber das sage ich ihm nicht.

„Ich sehe ein wenig anders aus, das kommt von der Chemo, ich habe Krebs!" Ich unterhalte mich lange mit ihm. Kurz und weil er fragt, über unsere Probleme und dann über seine Krankheit. Abends erzähle ich meiner Meike von der Begegnung mit Axel, den sie auch kennt. Gegen seine Probleme sind unsere wirklich klein, denke ich. Trotz aller Schei..., die wir im Moment haben, bin ich dem lieben Gott dankbar, dass wir alle gesund sind.

bekommen wir an einem Samstagmorgen Post von Anwalt Schön. Oh, denke ich, schon wieder was wegen Firma Sommer & Schulz. Doch etwas ganz anderes möchte Herr Schön uns mitteilen. Obwohl ich mir den Brief zweimal hintereinander durchlese, weiß ich gar nicht, was er von mir will. Es geht um die Baustelle. Er vertritt nun die Interessen unserer Nachbarn. Als erstes mokiert er, dass durch unsere Bauweise der Brandschutzwand ein Wasserschaden bei unseren Nachbarn Bauer entstanden sei. Wir sollen die Haftung dafür übernehmen. Dann berichtet er von einem Fliesenschaden an der gemeinsamen Hausfront zur Straßenseite. Zu guter Letzt fordert er uns auf, „die Arbeiten einzustellen"! ‚Hähhh? Was ist denn jetzt los?' denke ich. Als erstes verabschiede ich mich von dem Gedanken, bei Herrn Schön könnte irgendwo in den Tiefen der Seele ein Fünkchen Mitgefühl für unsere momentane Situation schlummern. Ich setze mich also hin und schreibe ihm einen Brief. Drei Seiten lang. Gehe auf jede von ihm genannten Anschuldigungen ein. Ich erkläre ihm zunächst aus-führlich, warum wir die Brandschutzwand nicht näher an die Hauswand unseres Nachbarn und somit genau auf die Grenze setzen konnten. Nämlich deshalb, weil unser Nachbar einen Anbau an sein Haus gemacht hat.

Dieser ist aber nicht genau grenzständig gebaut, sondern geht schräg über die Grenze hinaus, an einer Stelle um 45 cm auf unser Grundstück. Wenn wir also die Wand so gebaut hätten, wie man es gesetzlich vorgeschrieben machen muss, hätten wir zunächst die Nachbarn bitten müssen, ihren Anbau entsprechend abzureißen und grenzständig zu bauen. Dass das natürlich ein naives Bitten gewesen wäre, war mir klar. Da hätte ich die Nachbarn verklagen müssen und dann hätte ich, vielleicht nach Wochen, Monaten oder vielleicht Jahren Recht bekommen. Die Zeit habe ich aber nicht. Ich baue schließlich kein Einkaufszentrum oder ein Parkhaus, sondern ich will meiner Familie so schnell wie möglich ein neues Zuhause bauen. Also beschloss ich, die Nachbarn nicht zu verklagen, ich wollte schließlich auch keinen Streit. Dass sie auf unserem Grundstück stehen, weiß ich schon lange und ich habe das 20 Jahre toleriert. Schließlich machte ich den Fehler und beauftragte den Bauunternehmer, die Wand vor den Anbau zu setzen. Sie schließt zur Straßenseite mit der Nachbarwand ab. Am anderen Ende mit dem Anbau der Nachbarn auch. Nur dazwischen ist ein dreieckiger Spalt entstanden, der 7 cm beträgt. Durch diese 7 cm soll jetzt angeblich so viel Wasser in das Haus von Bauers eingedrungen sein, dass sie den ganzen Keller feucht haben. Das sie schon immer ein Problem mit dem feuchten Keller hatten, verschweigen sie. Außerdem seien Feuchtigkeitsschäden in der Wohnung aufgetreten, die daher kämen, dass Regen in die Außenwand dringt. Dazu erkläre ich Herrn Schön schriftlich, was es damit auf sich hat. Als unser Haus abgerissen wurde, wurde logischerweise die Außenhauswand unserer Nachbarn freigelegt. Es ist eine Wand aus grauen Porenbetonsteinen. Da ihr Haus damals an das unsere angebaut wurde (damals gehörten beide Grundstücke demselben Besitzer), hat man nichts isoliert und auch nichts verputzt. Wie hätte man es auch verputzen können. Es wurde lediglich an einigen Stellen Mörtelreste zwischen die Wände gekippt. Unmittelbar nach dem Abriss unseres Hauses kamen die Nachbarn zu unserem Architekten mit der Bitte, die Hauswand mit einer Plane gegen Regen zu schützen. Als unser Architekt uns daraufhin vorschlug, das machen zu lassen war ich nicht begeistert.

„Das kostet ca. 600 € und ich bin der Meinung, dass es nicht meine schuld ist, dass die Nachbarn eine Außenwand haben, die nicht verputzt ist", habe ich gesagt.

„Herr Ring", meinte damals unser Architekt bedächtig, „seien Sie doch kompromissbereit. Sie wollen doch keinen Streit mit ihren Nachbarn?" Natürlich nicht. Also habe ich der Plane zugestimmt und ließ mich sogar darauf ein, einen anderen Dachdecker zu nehmen, als den von mir ausgesuchten Bekannten. Es solle der Dachdecker genommen werden, der bei Bauers alles mache, setzte Frau Bauer durch. Blöd, dass er das Doppelte genommen hat, ich ihn in 20 Jahren vorher nicht einmal drüben arbeiten gesehen habe und das alles privat zahlen musste. Zum Thema kaputte Fliesen berichte ich ihm, dass mir selbst das aus Versehen passiert sei. Ich habe daraufhin sofort bei Bauers angeschellt und sie auf den Schaden hingewiesen. Mit Frau Bauer besprach ich, dass ich dafür versichert sei und ich bereits mit meinem Versicherungsmakler gesprochen habe. Sie meinte daraufhin, dass es ja nicht so schlimm sei und die Reparatur auch Zeit habe. Warum es dann von Herrn Schön hier im Brief thematisiert wird, weiß ich auch nicht. Bleibt der letzte Satz, die Arbeiten einzustellen. Was denkt er sich denn dabei? Das ich jetzt aufhöre? Warum? Wie lange? Wem soll das was bringen? Was will Herr Schön überhaupt von mir? Ich habe keinen Schimmer. Ich hoffe, ich habe jetzt alles erklärt und geklärt. Auf drei Seiten, das sollte reichen! Ich hoffe, nun haben wir wieder unsere Ruhe.

Denkste! Die Ruhe dauert nur zwei Tage, da haben wir den nächsten Brief im Briefkasten. Zum einen fordert Herr Schön uns auf, die Arbeiten einzustellen, da die

Brandwand nicht so gebaut wird, wie es vorgeschrieben sei. Den Grund dafür, den ich ihm genannt hatte, ignoriert er mal einfach. Dann setzt er mir noch eine Frist für die Haftungserklärung für den angeblichen Wasserschaden. Und auch hier wird wieder ignoriert, dass ich es meiner Versicherung bereits gemeldet habe. Später erfahre ich, dass die Nachbarn diese Haftungserklärung auch an meinen Bauunternehmer und an ihre Gebäudeversicherung geschickt haben. Wollen die tatsächlich viermal für den angeblichen Schaden abkassieren? Ist das denn nicht schon Versicherungsbetrug? Auf jeden Fall wird es nun Zeit für uns, leider auch einen Anwalt einzuschalten. War ja auch mal wieder naiv von mir, zu glauben, ich könnte das ganze selbst mit einem Brief beenden. Zunächst rufe ich mal meinen Versicherungsmakler an und frage, wie das mit der Kostenübernahme ist. Ernüchternd für mich stellt der Makler dabei fest, dass keine meiner zahlreichen Versicherungen dafür aufkommt.

„Eine Rechtsschutzversicherung fürs Bauen gibt es nicht. Genauso wenig eine Rechtsschutzversicherung für Scheidungen. Das sind beides so komplizierte Gebiete, da würden die Versicherungen arm bei!" erklärt er mir. Ah ja, hab ich wieder was dazu gelernt. Trotzdem suchen wir einen Anwalt auf. Der sieht das logischerweise alles viel lockerer als wir. Er meint, es wäre auch kein großes Problem. Und den Anwalt Schön würde er von einem Seminar auch persönlich kennen. Ob das nun positiv oder negativ gemeint war, ließ er offen. Warum denke ich in diesem Moment gerade an das Sprichwort: ,Eine Krähe hackt der anderen kein Auge aus'? Keine Ahnung. Egal, er kümmert sich drum und ich kann mich wieder der Baustelle widmen. Das macht mir trotz der Arbeit auch mehr Spaß, als beim Anwalt rumzusitzen. Sechs Tage tue ich das, da bekommen wir den nächsten Brief. Damit es schneller geht, jetzt mal per Fax. Diesmal hat sich der Sohn unserer Nachbarn, der sich jetzt neuerdings bei Papa und Mama wieder eingenistet hat, hilfesuchend an Herrn Schön gewandt. Er hat ihm vorgeweint, dass die bösen Nachbarn ein paar First-pfannen vom Dach entfernt haben. Na klar haben wir das, sonst hätten wir nicht grenzständig bauen können, da die Pfannen ja überstanden. Jetzt werden wir aufgefordert, die Pfannen wieder aufzulegen, da es ja reinregnen könne. Haben die da keine Folie drunter wie es üblich ist? Ich sage also meinem Kumpel und Dachdecker Uwe Bescheid und wir beginnen, die Pfannen artig wieder draufzulegen. Da steckt plötzlich Olaf, der Sohn der Nachbarn seinen Kopf aus dem Dachfenster und fängt an zu schreien.

„Runter vom Gerüst! Haut ab! Ich hol die Polizei! Ihr dürft hier nicht mehr weiterarbeiten, betretet ja nicht unser Dach."

„Hat der sie noch alle?" fragt Uwe.

„Vielleicht als kleines Kind zu heiß gebadet", vermute ich.

„Ok, dann lassen wir es halt, ich fahr dann mal zur nächsten Baustelle", meint Uwe und fährt wieder. Jetzt wird mir das ganze hier zu blöd und ich rufe Herrn Schön in seiner Kanzlei an. Lange spreche ich mit ihm und es funkt tatsächlich Hoffnung auf.

„Ich habe jetzt ausführlich, ruhig und vernünftig mit Herrn Schön gesprochen", erzähle ich meiner Meike.

„Die Nachbarn haben wieder die Lücke moniert. Ich habe gesagt, dass wir nicht zuständig sind für deren Außenwandisolierung. Als Zeichen des Einlenkens haben Herr Schön und ich uns überlegt, dass man in die kleine Lücke ja eine Isolierschüttung machen könne. Ich habe gesagt, dass wir ja die Hälfte bei den Kosten dazutun könnten und das fand Herr Schön gut. Er möchte das mit Bauers besprechen, da er auch gerne vorm Wochenende den ganzen Kram vom Tisch haben möchte. Dem habe ich zugestimmt und gesagt, dass es doch möglich sein muss, unter erwachsenen Menschen vernünftig zu sprechen und nicht so zu blöken wie der

Sohn von nebenan. Da hat mir Herr Schön sogar Recht gegeben. Zunächst solle ich aber die Dachpfannen wieder drauflegen und erst mal freiwillig nicht weiterarbeiten, bis man sich in der Familie entschieden habe. Er würde sich dann am späten Nachmittag melden. Das habe ich ihm zugesagt, in der Hoffnung, dass man sich ja jetzt doch scheinbar gütlich einigen kann." Also rufe ich Uwe wieder an und bestelle ihn zur Baustelle. Er kommt nach einer Weile und wir packen die Ziegel wieder drauf, rechtzeitig bevor es wieder anfängt zu regnen. Am späten Abend kommt dann der ersehnte Anruf.

„Hallo Herr Ring, tja ich muss Ihnen mitteilen, dass es noch keine Antwort von meinen Mandanten gibt", beginnt Anwalt Schön das Gespräch.

„Warum nicht?" frage ich.

„Die gesamte Familie Bauer will sich am Wochenende treffen und beratschlagen", meint er.

„Das hätte man doch aber am Telefon beratschlagen können, so kompliziert ist doch der Kompromissvorschlag eigentlich nicht", ist meine Antwort.

„Das wollte man aber in Ruhe besprechen, das sollten Sie akzeptieren", sein Konter.

„Na gut, dann warten wir halt auf die Antwort bis zum Montag", antworte ich resigniert. Irgendwie ist da ein aggressiver Unterton bei Anwalt Schön zu hören. Keine Spur mehr von der Freundlichkeit des letzten Gespräches mit mir. Auch keine Rede mehr von:

„Ich will das vorm Wochenende vom Tisch haben." Sollten Bauers das gegen den Willen Ihres Anwalts in die Länge ziehen wollen? Das würde er natürlich niemals zugeben. Sein Stimmungswandel wird mit seinem nächsten Satz deutlich.

„Sie stellen also die Arbeiten bis Montag ein", sagt er. Jetzt reicht's! Ich werde langsam richtig wütend auf die Nachbarn.

„Einen Scheiß werde ich tun, ich mache morgen früh weiter, mir langt's. Ich habe schließlich dem freiwilligem Arbeitsstopp nur zugestimmt als Zeichen des guten Willens, um eine gütliche Einigung zu erreichen. Das wollten Sie bis heute Abend klären. Das war der Deal, Herr Schön", ereifere ich mich.

„Das war keine Bitte, sondern eine Anordnung, daran sollten Sie sich halten", meint er nun bestimmend.

„Werde ich nicht", sage ich wütend. Daraufhin outet sich Herr Schön ganz offen als Anwalt ohne Skrupel und Gewissen mir gegenüber und zeigt mir deutlich, dass es hier nicht mehr um eine kleine, schnell zu regelnde Angelegenheit geht und droht mir:

„Sollten Sie die Arbeiten morgen oder am Samstag schon wieder aufnehmen, werde ich unverzüglich einen Baustopp beantragen, der Brief liegt schon fertig in meinem Büro!" Wie jetzt? Heute Nachmittag erzählt er mir am Telefon, er wolle vorm Wochenende alles vom Tisch haben und jetzt hat er den Brief schon fertig da liegen? Da bin ich ja mal schön verarscht worden.

„Wenn Sie sich an den freiwilligen Arbeitsstopp halten, werden wir nichts unternehmen", verspricht mir Herr Schön. Und wieder glaube ich ihm in meiner grenzenlosen Doofheit und sage ihm zu. Ich versichere ihm, dass ich bis Montag die Füße stillhalte. Wir haben Donnerstagabend und jeder kann sich vorstellen, was für Auswirkungen dieses Telefonat auf das Wochenende hat. Es ist Krieg. Krieg unter Nachbarn. Das kannte ich bisher nur aus der Zeitung und aus dem Fernsehen.

Die nächsten Tage nutze ich, um in der Übergangswohnung ein wenig Ordnung zu schaffen und einige Kisten zu sortieren. Kisten, die wir bei der Kelleraktion erstmal eingelagert haben und die mir mein Mitarbeiter nach und nach mitbringt, damit ich sie erstmal in den Keller räume. Dort sortiere ich aus, versuche zu trocknen und zu reinigen, was noch zu gebrauchen ist, muss aber den größten Teil wegschmeißen. An jedem Teil hängen Erinnerungen. Da hatte ich zum Beispiel eine ganze Kiste mit ca. 15 Klappzylindern. Die hatte ich von Haushaltsauflösungen gesammelt. Als wir eines Tages zur Adventszeit eine Weihnachtsmail bekamen, hatte unsere Bekannte ein Bild dabei, worauf sie, ihr Mann und die zwei Töchter eine Weihnachtsmütze aufhatten. Ich hatte daraufhin nichts Besseres zu tun, als die Zylinder aus dem Keller hochzuholen und ein Bild von unserer Familie zu machen. Jeder mit einem Zylinder auf. Dazu unsere Weihnachtswünsche. Da war die Bekannte schon beeindruckt und fragte sofort voller Bewunderung, wo ich mir auf die Schnelle so viele Zylinder ausgeliehen hätte.... Daran werde ich gerade erinnert als ich die ganzen verschimmelten Zylinder in einen blauen Sack schmeiße. Da ist nix mehr zu retten.

176 Tage nach dem Brand

Da ich nun regelmäßig um spätestens vier Uhr morgens leise ins Büro schleiche, schreibe ich heute eine Schutzschrift ans Verwaltungsgericht in Arnsberg. Sie ist vorsorglich und man verschafft sich den Vorteil vor allen Entscheidungen des Gerichts informiert und zum Verfahren zugelassen zu werden. Man weiß ja nie, was noch kommt. Als ich fertig geschrieben habe, fahre ich direkt zum Verwaltungsgericht nach Arnsberg, um die Abgabefrist zu wahren. Da es fünf Uhr morgens ist, ist natürlich noch niemand dort, um den Brief persönlich anzunehmen und so schmeiße ich ihn in den Nachtbriefkasten. Als ich nach drei Stunden wieder zu Hause bin, erzähle ich Meike beim Kaffee, was ich getan habe.

„Ist ja nur zur Vorsicht. Herr Schön hat mir ja versprochen, dass, wenn ich mich an die Abmachung halte, die Gegenseite nichts unternimmt. Ich bin ja mal gespannt, wann er anruft und was er dann zu sagen hat", sage ich zu Meike. Anrufen tut er gar nicht, stattdessen bekommen wir um 8 Uhr 52 ein Fax, was es in sich hat. VEREINBARUNG steht da groß als Überschrift. Erpressungsversuch wäre eine passendere. Auf zwei Seiten und unterteilt in sieben Punkte werden Forderungen gestellt. Herr Bauer „gestattet" den Eheleuten Ring den Weiterbau und die Errichtung des neuen Hauses…, sofern diese Vereinbarung angenommen wird. Dann wird aufgezählt, was wir alles machen bzw. machen lassen sollen. Natürlich nur von Fachunternehmen und von Sachverständigen begleitet. Es wird uns aufgetragen, die angeblichen Feuchtigkeitsschäden erst trocknen und dann beseitigen zu lassen. Der Spalt zwischen Brandwand und Nachbarhauswand soll verfüllt werden. Natürlich auch erst, wenn alles vorher getrocknet ist. Dann sollen wir die Hauswand Ihres Anbaus verputzen, unsere Brandwand verputzen, wo sie über die Hauswand der Nachbarn hinaus sichtbar wird. Und an der Frontseite des Nachbarhauses soll der Fliesenschaden beseitigt werden. Alles wird ausführlich beschrieben, wann und wie man sich alles vorstellt. Dann kommt der Hinweis, dass wir natürlich alle Kosten allein zu tragen hätten und zu guter Letzt wird uns noch mitgeteilt, dass man bereits beim Hagener Landgericht ein Verfügungsverfahren beantragt hat. Als wär das alles noch nicht genug, sollen wir auch die Kosten dafür übernehmen. Ach ja, dann sollen wir noch die Kosten für die Erstellung dieser Vereinbarung tragen. Und die Kosten für unsere Anwälte sowieso. Wir sind alle geschockt. Wir sprechen hier von einer Vereinbarung in Höhe von ca. 30.000 €. Ein Erpressungsversuch, schriftlich formuliert von einem Anwalt! Wo leben wir denn hier? Ich kann es nicht fassen. Jetzt, wo jeder Tag zählt, damit wir endlich fertig werden, sollen wir warten, bis der Spalt getrocknet ist. Der ist doch gar nicht nass geworden. Eine gewisse Feuchtigkeit, die die Porenbetonsteine aufgenommen haben austrocknen lassen? Wie soll das gehen? Wie lange soll das dauern? Warum fordert man ein Verputzen der Brandwand? Das ist doch selbstverständlich. Warum fordert man den Fliesenschaden zu reparieren? Das ist doch längst besprochen und an meine Versicherung weitergegeben worden. Warum sollen wir die Kosten für die Kellersanierung und Feuchtigkeitsschäden, die angeblich im Schlafzimmer entstanden sind, übernehmen? Das übernimmt doch, wenn überhaupt, die Gebäudeversicherung der Nachbarn oder meine Bauschadenversicherung. Warum sollen wir die Kosten für diesen Erpressungswisch übernehmen? Wir haben uns doch nicht so ein Blödsinn ausgedacht. Und die interessanteste Frage: Woher sollen wir plötzlich 30.000 € nehmen? Das ist doch an Frechheit nicht zu überbieten. Eine widerliche Bande! Da unser erster Anwalt es nicht geschafft hat, einen Brief innerhalb von einer Woche zu Herrn Schön zu schicken, obwohl er von der Dringlichkeit wusste, schicke ich den erst mal in die Wüste und wir suchen uns einen neuen Anwalt. Der macht auch einen guten, kompetenten und interessierten ersten Eindruck. Nur zwei Dinge stören mich von Anfang an.

„Wir wollen doch keinen ‚Rosenkrieg' mit den Nachbarn", meint er. ‚Zu zaghaft', denke ich, ‚aber lass ihn mal machen, der soll ja wohl mehr Ahnung haben als ich.'

„Dann muss ich erstmal beim Bauamt in Gevelsberg anrufen", ist auch so ein komischer Satz. Der soll sich nicht verbünden und auf Schmusekurs gehen mit der

Stadt, sondern unsere Rechte durchsetzen und eventuell, wenn er meint, das hätte Aussicht auf Erfolg, die Stadt verklagen! Aber diese radikalen spontanen Gedanken teile ich ihm nicht mit, sondern verabschiede mich mit einem freundlichen Lächeln bei unserem ersten Besuch in seiner Kanzlei.

183 Tage nach dem Brand

geht es wieder einen Schritt weiter auf der Baustelle. Ich habe mich bei vielen umgehört und einen Tipp erhalten, wer gut aber auch günstig Estrich legt. Nachdem der Chef des Unternehmens sich das vor Ort angesehen hat und ich mich mit ihm unterhalten habe, habe ich einen guten Eindruck. Wir waren uns schnell über einen günstigen Preis einig und haben den heutigen Tag als Termin festgelegt. Nachdem gestern schon, wie wir alle fanden, riesige Mengen an Sand und Zement angeliefert wurden, soll nun heute der Kellerboden gegossen werden. Pünktlich kommt ein LKW, der eine Mischmaschine und eine Pumpe dabeihat. Als ich die Männer sehe, bekomme ich einen Schreck. Gurkentruppe fällt mir spontan und gemeinerweise ein. Egal, erst mal sehen wie sie arbeiten. Ich bespreche noch einmal alles mit dem Vorarbeiter und weise ihn darauf hin, dass er und seine Jungens bloß vorsichtig sein sollen im Kellerraum, wo später meine Werkstatt sein soll. Dort hat der Klempner bereits die Fußbodenheizung verlegt und ich möchte natürlich nicht, dass da etwas kaputtgetreten wird und hinterher die Leitungen undicht sind. Der Vorarbeiter sieht mich nur mitleidig an, sagt aber nichts. Ich komme mir echt ein bisschen blöd und spießig vor. Ist ja auch Quatsch, das machen die ja auch nicht zum ersten Mal. Ich sehe den Männern bei der Arbeit zu und bekomme Respekt. Ein Hänfling hat die Aufgabe, den ganzen Tag von dem riesigen Sandhaufen Schüppe für Schüppe in die Mischmaschine zu ballern. Das macht er in einem, fast ohne Pausen, durch. Obwohl ich sehr stark bin, glaube ich nicht, dass ich das den ganzen Tag geschafft hätte. Die anderen arbeiten mit einer Gewissenhaftigkeit, die ich beim ersten Anblick der Leute heute Morgen nicht erwartet habe. Am späten Nachmittag ist, wie geplant, alles fertig. Und auch der große Sandhaufen und die zig Zementsäcke weg. Klasse Arbeit, meine Hochachtung, Jungs!

185 Tage nach dem Brand

fahren Meike und ich in eine Baumschule. Wir haben ja den Garten zwangsläufig ein wenig umgestalten müssen und wollen ein paar Lebensbäume als Sichtschutz zu Bauers pflanzen. Da ich im Moment nichts Dringendes auf der Baustelle machen muss, ist das auch mal eine kleine Ablenkung. Beim Schlendern durch das Außengelände der Baumschule sehe ich plötzlich eine kleine Birke. So eine wollte ich schon immer haben. In dem Moment werde ich an ein Geburtstagsgeschenk meines Vaters erinnert. Es war ein Gutschein für einen Baum, weil ich ihm erzählt hatte, dass ich gerne mal einen Baum pflanzen wolle. Um das Sprichwort zu erfüllen, ein Mann solle Kinder in die Welt setzen, seiner Familie ein Haus bauen oder in unserem Fall kaufen und einen Baum pflanzen. Ich habe es bis zum Tod meines Vaters nicht geschafft, den Gutschein einzulösen. Bis jetzt habe ich auch nicht mehr darüber nachgedacht. Bis jetzt gerade. Ich rufe meine Mutter an und teile ihr meine Idee mit. Sie meint, natürlich scherzhafter Weise, dass Sie mir das Geld auch ohne den Gutschein gibt, da der ja verbrannt sei. Auch sie findet es eine schöne Idee und so pflanze ich einen Baum hoch oben auf dem Grundstück neben das Gartenhaus.

Schon einen Tag später werden wir drastisch an den Zoff mit Bauers erinnert, da wir den Gerichtstermin in Hagen haben. Unser Anwalt hat sich vorbereitet, dank meiner Infos und zahlreicher Erklärungen und Fotos. Auch ich habe mich gründlich vorbereitet. Auf dem Weg zum Gericht ermahne ich Meike noch, ruhig zu bleiben und sich nicht so aufzuregen. Ich bin ja angeblich ganz locker. Man muss sich das vorstellen, die verklagen uns tatsächlich wegen eines angeblich feuchten Kellers. Der war natürlich schon immer feucht, das weiß ich, da sie mich schon vor 20 Jahren gebeten haben, doch einmal rüber zu kommen und mir ihren Keller anzusehen. Der wäre feucht, weil ich in meinen Keller einen Estrichboden reingegossen hätte! Ihre dreiste Theorie - oder sollte das nur Mittel zum Zweck sein? - begründen sie folgendermaßen: wir hätten von ihrer Außenwand nachts und heimlich (!) den Putz abgehauen und die angeblich vorhandene Isolierung beseitigt. Dann wäre die Mauer feucht geworden und hätte Feuchtigkeitsschäden im an die Außenwand angrenzendem Schlafzimmer verursacht. Dazu kommt dieser Spalt von 7 cm, wohlgemerkt an der größten Stelle und nicht etwa durchlaufend zwischen ihrer Hauswand und der davor von uns gebauten Brandschutzwand. Dadurch würden solche Wassermassen in den Keller dringen, dass der derart feucht würde, dass Eile geboten wäre, so dass man einen sofortigen Baustopp fordere. Soweit die schäbigen Gedanken unserer Nachbarn. Jetzt wird alles im Einzelnen durchgekaut. Zunächst fragt die Richterin, wie weit denn die Brandwand jetzt gebaut sei. Schon da wird deutlich, wie vehement, aggressiv und mit der Unwahrheit gekämpft wird. Anwalt Schön antwortet lapidar, die Wand sei bis zur Mitte fertig. „Nein", sage ich, „das stimmt nicht."

„Doch, die ist halbhoch", antwortet Herr Schön.

„Das ist gelogen", rufe ich dazwischen.

„Wollen Sie sagen, ich lüge?" fragt der Anwalt. Er hat einen total roten Kopf bekommen.

„Ja, das will ich sagen", antworte ich jetzt außer mir und vollkommen undiszipliniert.

„Sie sind ein Lügner, was das angeht. Wenn Sie es nicht genau wissen, fahren Sie doch einfach zur Baustelle und sehen nach. Scheinbar haben Sie gar keine Ahnung, wie weit wir sind."

„Jetzt ist aber Schluss, halten Sie sich ein wenig zurück, alle beide", ermahnt uns da die Richterin. Ich bin erschrocken über mich selbst, wie ich mich durch so eine Lüge aus der Ruhe bringen lassen kann und entschuldige mich bei der Richterin. Mein Anwalt redet von links auf mich ein, meine Meike von rechts. Sie wollen mich beruhigen. Meike packt mich am Arm dabei. Mein Anwalt zum Glück nicht. Ich komme langsam wieder runter und frage, ob ich Bilder vorlegen darf. Das darf ich und so sieht die Richterin auf einem schönen Farbfoto, dass die Wand bereits fertig ist. Eins zu null für uns, denke ich. Dann fragt die Richterin nach der vorhandenen Isolierung und dem Putz. Sie will wissen, wie man das heimlich entfernen kann und wie denn jetzt der Zustand der Wand war. Anwalt Schön, immer noch rot im Gesicht, wiederholt, dass die Wand verputzt und davor Isolierung gewesen sei. Ich schüttele nur den Kopf, warte aber brav, bis die Richterin mich befragt.

„An der Wand hat es nie eine Isolierung gegeben und auch keinen Putz", sage ich.

„Doch hat es, die Isolierung ist beim Abriss vom Baggerfahrer beseitigt worden und den Putz ließ Herr Ring später von der Wand hauen", entgegnet Anwalt Schön, „die Tochter meiner Mandantin, die hier neben mir sitzt, bezeugt das und hat es mir auch schriftlich beeidigt." Der Kopf der Richterin dreht sich zu mir.

„Es reicht jetzt aber", sage ich relativ ruhig, „wenn das die Tochter von Frau Bauer so sagt, ist das ein Meineid! Tatsache ist, dass es nie eine Isolierung gegeben hat. Die Folienfetzen, die auf Bildern der Nachbarn zu sehen sind, sind Reste einer Plane, die man zwischen die Hauswände gemacht hat. Der Putz wurde nicht von uns beseitigt, denn es gab nie einen. Frau Richterin, die Nachbarn haben ihr Haus an das unsere gebaut, wie soll man denn da verputzen? Soll man erst den Putz auf den Stein auftragen und dann den Stein vor die vorhandene Wand schieben? Das geht doch schon rein technisch nicht. Was später entfernt worden ist, waren Putzreste. Die wurden damals beim Bauen in die Ritzen gekippt. Die mussten entfernt werden, weil sie bis zu 15 cm vorstanden. Entfernt hat sie dann allerdings eine Firma, welche von Bauers beauftragt worden ist." Wieder überreiche ich der Richterin viele Fotos. Darauf ist die verrußte Hauswand unmittelbar nach und während des Abrisses zu sehen. Eine ganze Weile betrachtet die Richterin die Fotos, sagt aber nichts.

„Was haben Sie sich denn jetzt vorgestellt?" fragt sie Anwalt Schön.

„Wir hätten gerne, dass Sie einen sofortigen Baustopp aussprechen", sagt dieser daraufhin. Stille.

„Das werde ich mit Sicherheit nicht, ich sehe dafür auch keine Veranlassung. Zumal das von dem Verwaltungsgericht verhängt werden muss. Wir können uns hier heute nur über ein eventuelles Falschbauen und ein eventuelles Beschädigen des Hauses Ihrer Mandantschaft einigen." Sie sieht erst Anwalt Schön und dann unseren Anwalt fragend an. Unser Anwalt ergreift das Wort und schlägt vor, den winzigen Spalt zwischen Hauswand Bauer und der

Brandschutzwand mit Isoliermaterial zu verfüllen. Als Zeichen des guten Willens, dass man sich einigen will und damit das ganze Theater vom Tisch ist, übernehmen wir die Hälfte der Kosten. Das hält die Richterin für einen fairen Vorschlag und sieht Anwalt Schön daraufhin fragend an. Das wir die eine Hälfte der Kosten übernehmen, scheint ihn zu freuen. Dass die andere Hälfte von seinen Mandanten getragen werden soll, scheint ihn nicht so zu begeistern. Er berät sich kurz mit der Tochter von Frau Bauer. Scheinbar ist auch sie nicht erfreut, irgendetwas selber bezahlen zu müssen. Und so verkündet Anwalt Schön, die Versicherung von Bauers wegen einer Kostenbeteiligung anrufen zu wollen. Das tut er dann auch. Scheinbar erhält er eine Absage diesbezüglich. ‚Warum soll auch eine Versicherung für etwas zahlen, was vorher nicht vorhanden war‘, denke ich. ‚Die sind doch nicht so bekloppt wie wir.‘ Nun teilt Anwalt Schön der Richterin mit, dass es keine Beteiligung seitens der Versicherung gibt.

„Bleibt die Frage, ob Bauers selber sich zur Hälfte beteiligen wollen", fragt die Richterin, „wie gesagt, ich halte das für einen guten Vergleichsvorschlag." Doch nach kurzer Beratung mit dem heftig kopfschüttelnden Töchterchen seiner Mandantin lehnt Anwalt Schön den Vergleichsvorschlag ab. Das kann die Richterin scheinbar nicht nachvollziehen und macht aus ihrem Unmut auch keinen Hehl. Sie beendet die Sitzung und erklärt, dass das Urteil am Nachmittag erfragt werden kann. Anwalt Schön springt auf und schreitet zum Ausgang. Die Richterin ordnet ihre Unterlagen und wir erheben uns auch von den Stühlen. Da plötzlich bleibt Herr Schön stehen dreht sich wieder mit hochrotem Kopf zu uns um und schreit:

„Das kann ich Ihnen versichern, Herr Ring, Sie werden Ihr Haus im Sommer da nicht bauen! Das werde ich zu verhindern wissen!" Wir erstarren alle und gucken uns gegenseitig erstaunt an. Flippt der jetzt total aus? Tickt der noch ganz richtig? Was hat der denn? Das hörte sich aber schon sehr nach einem persönlichen Rache-feldzug gegen mich an. Warum auch immer.

„Sowas habe ich auch noch nicht erlebt", sagt unser Anwalt.

„Ich aber auch nicht", meint die Richterin.

„Der ist so explodiert, weil er gemerkt hat, dass er verloren hat", meint unser Anwalt auf dem Weg nach Hause. Wie recht er hatte, erfahren wir später, als wir hören das wir das Verfahren gewonnen haben. Da der liebe Anwalt Schön zwischenzeitlich auch den Rechtsstreit Ring gegen Fa. Sommer & Schulz verloren hat, steht es nun 2 zu 0 für mich!

geht es weiter auf der Baustelle. Heute sollen die Pfetten gelegt werden, auf die das Haus gestellt wird. Das sind flache Kanthölzer, die genauso breit wie die Wände sind. Sie werden nach einer Zeichnung genau dort am Boden mit Dübeln fixiert und vertikal ausgerichtet, wo später die Wände aufgesetzt werden. Bis zum frühen Nachmittag ist noch nichts passiert und wir warten sehnsüchtig auf den großen LKW und den Bautrupp, der da kommen soll. Da plötzlich fährt ein kleiner Transporter vor mit einem Anhänger, auf dem die Pfetten liegen.

„Hallo, ich bin der Otto und ich soll hier die Pfetten legen." sagt der Mann, der auf mich zukommt.

„Hey, kannst Jogi zu mir sagen. Wann kommt der Rest der Truppe?" frage ich ihn.

„Welche Truppe? Das mache ich alleine, da brauche ich keine Truppe für, du kannst mir ein bisschen helfen", meint er zu mir. Das mache ich natürlich gerne und so beginnen wir. Gemeinsam mit Sascha und Danny verlegen wir die Pfetten. Ich ermahne Otto, noch nicht zu lange Dübel zu nehmen, damit wir nicht aus Versehen in eine der von uns in die Bodenplatte verlegten Leitungen bohren. Während die drei anfangen, die ersten bereits hingelegten und höhenmäßig ausgeglichenen Hölzer zu fixieren, übernehme ich die Fuckelarbeiten. Das heißt, ich ändere die Pfetten, wenn etwas nicht ganz passt. Deshalb muss ich zum Beispiel aus einem Kantholz einen Halbkreis aussägen, weil das Holz zur Hälfte über ein Abflussrohr im Boden geht. Und unser kleines Häusken, welches wir über den Kellereingang gebaut haben, muss weg. Ich habe mir überlegt, dass wir es nicht abbauen, sondern zu fünf Mann anheben und es auf Stelzen stellen, damit darunter die Pfetten gelegt werden können. Nach einigen Stunden sind wir fertig. Meike ist inzwischen auch da und Werner und Anette von nebenan sind auch neugierig rübergekommen. Stolz präsentieren wir „unsere Wohnung". Man kann jetzt gut die Raumaufteilung erkennen und wir führen Werner und Anette rum und erklären, in welchen Raum was hineinkommt! Endlich sieht man was und kann die Konturen erkennen. Gutgelaunt fahren wir an diesem Abend in unsere Übergangsbleibe. Jetzt kann das Haus kommen!

Das kommt aber nicht, stattdessen am nächsten Morgen der Bescheid über einen .... BAUSTOPP!

Jetzt geht es los. Jetzt muss ich kämpfen. Kämpfen für ein neues Zuhause für meine Familie und mich. Wer hätte das gedacht. Ich auf jeden Fall nicht. Als erstes schicke ich ein Fax zum Verwaltungsgericht nach Arnsberg und frage, wie lange dieser Baustopp dauert. Eine Antwort erhalte ich natürlich nie. Dann rufe ich Dieter Schulte an und erzähle ihm vom Baustopp. Er ist natürlich geschockt und muss die Auslieferungsplanungen stoppen. Eine riesige Halle wird nun blockiert und kann nicht genutzt werden, weil alle Teile unseres Hauses dort ausgebreitet sind. Von dort sollten sie in der richtigen Reihenfolge auf die LKW geladen werden. Was machen wir denn jetzt?

200 Tage nach dem Brand

stimmen wir uns mit unserem Anwalt ab, er soll den Nachbarn ein Angebot unterbreiten. Wir lassen eine Schüttung machen und übernehmen dafür sämtliche Kosten. Das soll von Bauers aber kurzfristig entschieden werden, damit es schnell weitergehen kann. Am Nachmittag kommt meine Meike zu mir auf die Baustelle in meinen Keller. Dahin hab ich mich zurückgezogen, ich weiß sonst nichts, was ich machen soll. Oben dürfen wir nicht weiterbauen, auf die stupide Büroarbeit für meine Firma kann ich mich jetzt nicht konzentrieren und hier im Keller gibt es noch so viel zu tun. Kabel anschließen, Wasserarmaturen anschließen, Wände verputzen, jede Menge halt, um sich abzureagieren. Meike ist fix und fertig. Natürlich ist es für uns alle eine Hiobsbotschaft gewesen, aber leider nimmt Meike es besonders schwer. Wir sprechen und diskutieren, wie man als Nachbarn so etwas machen kann.

„Wir haben denen doch wirklich nichts getan", sagt Meike.

„Warum machen die das?" ist die immer wiederkehrende Frage.

„Da kann ich dir auch keine Antwort drauf geben", antworte ich. Ich sehe wie in Meike ein Gedanke reift und ahne schlimmes.

„Weißt du was? Ich gehe jetzt darüber und spreche mit Frau Bauer. Man muss doch mit der Frau reden können. Sie ist doch auch Mutter, sie muss mich doch verstehen können."

„Nein, mach das nicht", sage ich beruhigend zu Meike, „das hat doch keinen Zweck."

„Willst du mir das verbieten?" fragt sie.

„Nein, verbieten will ich dir das nicht, aber ich denke leider, dass es keinen Zweck hat." Meike lässt sich nicht abhalten und geht rüber ins Feindeslager. Nach 20 Minuten kommt sie wieder. Ich höre auf zu arbeiten und sehe sie an.

„Und?" Sie sagt nichts, fällt mir in die Arme und fängt

bitterlich an zu weinen. Nach einer ganzen Weile schluchzt sie:

„Damit kann man ja überhaupt nicht reden, die ist sowas von herzlos, sowas gefühlskaltes, das hätte ich nicht gedacht. Sie hat mich erst schön reden und bitten und betteln lassen, hat sich das alles angehört und dann nur lapidar gesagt, dass sie nichts machen kann, daran hätten wir selbst schuld." Es tut mir unendlich leid, meine Meike so zu sehen. Ich hätte ihr das gerne erspart. Ich weiß schon lange, dass Frau Bauer so ist. Warum auch immer. Wo andere Menschen ein Herz haben, hat die einen Stein. Die nächsten Tage sind schlimm. Zum allgemeinen Unmut über die Situation kommt für mich noch, meine Meike so leiden zu sehen. Und ihr verdammt noch mal nicht helfen zu können.

204 Tage nach dem Brand

bekommen wir Bescheid von Anwalt Schön. Er schreibt, dass seine Mandanten das Angebot ablehnen und sich auch nicht zeitlich unter Druck setzen lassen. Nee, ist klar, DIE haben ja auch Zeit. Wir nicht. Die Hallen sind belegt. Dafür muss Nutzungsausfall bezahlt werden. Es ist schönes Wetter und ideale Temperaturen, um das Haus aufzustellen und letztendlich wollen wir doch alle so schnell wie möglich wieder ein neues Zuhause haben. Ist das denn Zuviel verlangt? Bei mir kommt zum allgemeinen Ärger über den Anwalt und über die deutsche Gerichtsbarkeit noch eine ohnmächtige Wut auf Bauers hinzu. Es wird doch sehr deutlich, dass sie überhaupt nicht an einer Lösung unseres Streites interessiert sind und auch nicht nur etwas von uns haben wollen, sondern, dass man scheinbar insgesamt verhindern will, dass wir überhaupt fertig werden und „zurückkommen".

Am nächsten Tag starte ich einen erneuten Versuch, die nun festgefahrene Situation zu verändern. Uns ist aufgefallen, dass sich nebenan merkwürdige Dinge abspielen. Der Sohn, der eigentlich vor etlichen Jahren ausgezogen ist, ist plötzlich wieder eingezogen. Entweder hat er über Monate Urlaub oder aber er ist wahrscheinlich arbeitslos. Die Tochter kommt täglich zu Besuch und des Öfteren schleicht der Bruder vom Nachbarn hier dauernd rum. Glotzt doof, grüßt nicht und macht ständig Bilder. Als er mal wieder auf meinem Grundstück stand und Bilder von der Baustelle machte, ging ich auf ihn zu und wollte ihn zur Rede stellen, was das solle, aber da haute er wacker ab und ging bei Bauers rein. Als ich das neulich einem Bekannten erzählte, meinte der sofort:

„Ach, das ist der Wolfgang, das ist bestimmt der Rädelsführer. In meiner Jugendzeit habe ich mit dem hier gespielt. Wir gründeten damals einen Micky-Maus-Club. Schon damals war er bekannt dafür, dass er streitsüchtig war. Wir nannten ihn den Unruhestifter, weil er stets für Unfrieden und Zoff sorgte und alle aufmischte. Später ging er gerne zum Anwalt und verklagte Leute, die ihm zu nahe gekommen waren. Ein ätzender Kerl.

205 Tage nach dem Brand

rufe ich ihn einfach mal an.

„Hallo Herr Bauer, hier ist Jörg Ring, der Nachbar von Ihrem Bruder", beginne ich freundlich.

„Und?" antwortet er mürrisch.

„Ich habe den Eindruck, als wären Sie der Sprecher der Familie und deshalb wollte ich mit Ihnen einmal über die momentane Situation sprechen." Ich sage extra „Sprecher" und nicht Rädelsführer, Häuptling der Bande oder Aufrührer. Ich möchte ja so tun, als wär ich ganz locker drauf und fände das auch gar nicht schlimm, dass er als Außenstehender, der woanders wohnt, sich hier einmischt.

„Da gibt es nichts zu sprechen, das läuft alles über unseren Anwalt", antwortet er hastig.

„Ja, das ist klar, aber das heißt doch nicht, dass man nicht mal persönlich zusammen sprechen kann, es sollte doch unter erwachsenen Menschen möglich sein, sich auch ohne Anwalt zu einigen", sage ich.

„Nein, da brauchen wir gar nichts zu sprechen, das macht alles unser Anwalt." Da war es wieder „unser" Anwalt. Verklagt er uns jetzt?

„Und überhaupt kann ich gar nichts alleine hier am Telefon entscheiden, wir besprechen das immer alles zusammen in der Familie", höre ich von ihm.

„Sie sollen hier und jetzt auch nichts allein entscheiden, sondern ich wollte nur fragen, ob man sich nicht privat einigen kann."

„Aber nicht ohne unseren Anwalt", sagt er wieder. Ist der behämmert oder stellt der sich nur doof? Weiß der wirklich nicht, was ich von ihm will? Nun werde ich deutlich.

„Herr Bauer, ich biete Ihnen 5.000 € in bar an, abgesehen von der Verpflichtung eine Schüttung zu finanzieren."

„Ja, dann teilen Sie das unserem Anwalt mit", meint er nur stupide. Er rafft es nicht.

„Ich biete Ihnen das privat an, bar auf die Hand. Ohne Anwalt. Wenn das über den Anwalt läuft, sieht der doch seine Felle schwimmen und wird schon aus dem einfachen Grunde nicht zustimmen, weil er dann keinen Fall mehr hat. Verstehen Sie das denn nicht?" frage ich ihn eindringlich.

„Wir machen nichts ohne unseren Anwalt und ich alleine kann das schon gar nicht entscheiden", wiederholt er sich nur.

„Ok, Sie können das ja mal im Familienrat besprechen, schönen Tag noch, auf Wiederhören", bleibt mir da nur noch zu sagen. Wieder habe ich das Gefühl, dass man sich nur streiten will, ich glaube, die wollen sich gar nicht einigen. Was ich bei der ganzen Sache nicht verstehe ist, dass sich alle in dieser gewissenlosen Meinung einig sind. Dass es nicht einen unter den Familienmitgliedern gibt, der sagt nun ist gut, jetzt haben wir sie lange genug geärgert und behindert. Wir nehmen das Geld und dann ist Ruhe. Ich versteh's nicht.

Seit ein paar Tagen weiß ich, dass man die Schwägerin auch involviert hat. Zu ihr hatten wir immer ein gutes Verhältnis. Wir duzten uns und sie kam jedes Jahr mit ihrer Freundin bei uns an den Kirmesstand. Da haben wir uns mit den älteren Damen ganz schön was reingetan und jede Menge Spaß gehabt. Dieses Jahr war sie zum ersten Mal nicht da. Einige Male habe ich sie nach dem Brand gegrüßt, aber sie hat nicht zurück gegrüßt. Während sie anfangs stehen geblieben ist und ein wenig mit mir geplaudert hat und gefragt hat, wie es uns geht, lief sie in letzter Zeit nur noch stur vorbei. Vor ein paar Tagen dann kam sie mir auf dem Bürgersteig entgegen, ich grüßte sie mit Vornamen, aber sie drehte nur den Kopf zur Seite und ging weiter. Das war deutlich. Was wir ihr getan haben, weiß ich nicht. Sie wohnt zwei Häuser weiter und ihr Haus hat keinen Schaden genommen. Vielleicht aus Solidarität?

Schade, sehr schade.

208 Tage nach dem Brand

gehe ich zu meinem Kumpel und früheren Stadtbaurat.
Er hat ja schon einiges mitbekommen, aber weiß nicht
die genauen Hintergründe. Nun ist er gerade zu Besuch
bei seinen Kindern, die nur ein paar Häuser von uns
entfernt wohnen.

„Hallo Jogi", begrüßt er mich, „was ist los bei euch,
warum geht es nicht weiter?" Ich unterhalte mich sehr
lange mit ihm und erzähle die ganze Sache aus meiner
Sicht. Habe dann aber auch einige Fragen an ihn, da er
ja schließlich früher Leiter des Bauamtes war. Er hört
sich alles an, fragt und möchte schließlich mal die
Baupläne sehen. Daraufhin lade ich ihn für den
nächsten Tag zum Kaffee in unsere
Übergangswohnung ein. Das wäre gut, da könne er ja
auch mal in die Akten sehen, meint er daraufhin. Am
nächsten Tag sucht er uns auf und studiert
Zeichnungen, Briefe und Urteile. Ich habe inzwischen
dafür einen Ordner angelegt. Nach etwa einer Stunde
reden wir darüber. Er erklärt mir einige juristische
Formulierungen, sagt was gut für uns ist, aber sagt
auch, was nicht so gut für uns ist. Wie es nun
weitergeht oder was wir machen sollen oder können,

weiß er auch nicht. Sagt er. So richtig weitergebracht hat mich das jetzt auch nicht. Bernd ist ein sehr netter lustiger Mann und ich kann ihn gut leiden. Und doch hab ich das Gefühl, dass er mir hier nicht alles sagt, was er denkt. Sind Fehler beim Bauamt gemacht worden, zu der Zeit, als er noch Chef dort war? Will er seinen Nachfolger schützen? Da fällt mir doch glatt das Sprichwort „Eine Krähe hackt der anderen..." wieder ein. Aber vielleicht tue ich ihm unrecht und er weiß wirklich nicht mehr, als er sagt. - Eher nicht.

211 Tage nach dem Brand

schickt unser Anwalt endlich auf unser Drängen den Berufungsantrag nach Arnsberg zum Verwaltungsgericht. Jetzt geht die ganze Sache zum Oberverwaltungsgericht nach Münster.

212 Tage nach dem Brand

erreicht uns der nächste Erpresserbrief, vom Anwalt zynisch als
Einigungsvorschlag betitelt. Auf fünf Seiten wird uns nun erklärt, was wir zu tun und zu lassen haben. Insgesamt Forderungen in einer Höhe von ca. 50.000 €!

stelle ich fest, dass der ganze Keller feucht ist. Die Feuchtigkeit zieht langsam durch die Wände nach oben. Bis dahin glaubte ich, dass eine Betondecke absolut wasserundurchlässig sei. Dass dem nicht so ist erklärt mir Martin, der Bauunternehmer, der den Keller gebaut hat. Ich hatte ihn angerufen. Also beschließe ich, mehrere Planen zu kaufen, denn so eine große gibt es ja nicht. Wir brauchen schließlich 12 x 14 m. Da ich nur Planen in der Größe 6 x 6 m finde, kaufe ich 6 Stück. Außerdem hole ich noch vernünftiges Klebeband für die Ränder, dann noch einen Pott mit elastischer Streichmasse für unser kleines Häuschen über dem Treppengang in den Keller und schon haben wir alles. Sind wir mal eben bei 320 €. Egal, trifft ja keinen Armen. Dann verlegen wir gemeinsam die Planen, verkleben sie, dichten das Häusken ab und sind nach ein paar Stunden ruck zuck fertig. Tagesaufgabe erfüllt. Wie nahe Hilfe und Desinteresse bei der Bevölkerung an unserem Unglück sind, erfahren wir am nächsten Tag. Meike hat zu Weihnachten einen Gutschein von einem bekannten Buchladen in Gevelsberg bekommen. Sie beschließt, sich dafür ein Buch zu holen. Das freut mich, habe ich doch die Hoffnung, dass sie sich ein wenig ablenkt und ein bisschen „runterkommt". Sie geht also zur besagten

Buchhandlung, stöbert, und findet schließlich ein Buch, das ihr gefällt. Damit geht sie zur Chefin zum Bezahlen. Sie erklärt, dass sie einen Gutschein zu Weihnachten bekommen habe, diesen aber nicht mehr besitze. Daraufhin meint die Chefin des Buchladens nur:

„Wenn Sie keinen Gutschein vorlegen, müssen Sie bezahlen." Damit hat Meike nicht gerechnet und auch keine Lust länger mit der Chefin zu diskutieren. Immer noch fällt es ihr schwer, über den Brand zu sprechen. Sie legt das Buch zurück und bekommt im Rausgehen mit, wie eine Verkäuferin, welche Meike als Stammkundin kennt, zu ihrer Chefin eilt.

„Das ist doch Frau Ring, denen ist doch das Haus abgebrannt, deshalb hat sie keinen Gutschein mehr", hört sie die Verkäuferin leise flüstern.

„Das ist mir egal", erwidert die Chefin zu ihrer Verkäuferin, immerhin so laut, dass Meike es mitbekommt, „ohne Originalgutschein bekommt sie hier nichts." Meike geht weiter einkaufen und später zur Metzgerei Hess. Dort sind wir zwar keine Stammkunden, aber man kennt sich. Als sie dort bezahlen möchte, meint der Chef:

„Frau Ring, Sie brauchen nichts zu bezahlen, im Gegenteil, ich gebe Ihnen einen Gutschein über 100 €

und den können Sie dann bei mir nach und nach einlösen!" Als mir Meike am Abend erst vom Buchhandel und dann fröhlich vom Metzgereieinkauf erzählt, ist ihre erst angeknackste Stimmung schon wieder besser. Ich freue mich mit ihr. Im Geheimen denke ich aber, dass so eine Buchhandlung doch eigentlich eine Belegkopie von einem Gutschein haben müsste, wenn man davon ausgeht, dass dieser ordentlich verbucht wurde. Ich sage aber nichts dazu, um nicht noch Öl ins Feuer zu gießen.

Die nächsten Tage verbringe ich größtenteils im neuen Keller. Er will nicht so recht trocken werden. Obwohl zwei Trockengeräte rund um die Uhr laufen, sieht man keinen Trocknungserfolg.

225 Tage nach dem Brand

erhalten wir den mit Spannung erwarteten Brief aus Münster vom Oberverwaltungsgericht. Darin wird uns dann aber mitgeteilt, dass der verhängte Baustopp bestätigt wird. Als Grund wird dafür der falsche Kellerbau angegeben. Der falsche Kellerbau? Nachdem die Baupläne damals bei der Stadt von unserem Architekten eingereicht worden sind, hatten wir (genaugenommen ich) doch die Idee einer Änderung des Brandschutzwandfundamentes. Das hätte man natürlich auch auf den Zeichnungen ändern müssen. Dann hätte man das beim Bauamt nachtragen müssen. Hätte, hätte Fahrradkette. Natürlich kam unserem Bauleiter und unserem Architekten nichts dergleichen in den Sinn. Somit hatten wir nicht exakt so gebaut, wie es auf unseren Zeichnungen geplant war. Schei...! Dazu die süffisante Frage (oder ein indirekter Vor- schlag?), warum wir nicht längst unsere Nachbarn, aufgrund dessen, dass sie auf unserem Grundstück gebaut haben, verklagt haben. Dafür gibt es zwei Antworten. Erstens war ich Trottel zu gutmütig, wollte kein Theater mit Bauers und habe daher darauf verzichtet. Und zweitens, hätte ich Klage während des Bauens eingereicht, hätte es wahrscheinlich Monate gedauert bis vom Gericht entschieden wird, ob ich Recht habe. Erst danach hätte man die Beseitigung einklagen können. Das hätte wahrscheinlich wieder Monate, wenn nicht sogar Jahre gedauert. Und solange sollten wir in der feuchten teilweise verschimmelten Übergangsbehausung bleiben?

Leider sind die Zeiten bei den Gerichten ja so bombastisch, schließlich müssen erst mal ganz spannende Fälle gelöst werden. Zum Beispiel, ob jemand einen Gartenzwerg aufstellen darf, welcher dem Nachbarn die Zunge rausstreckt! Zum guten Schluss wird von Münster vorgeschlagen, eine Verfüllung zu machen, wie wir bereits vorgeschlagen haben. Als Meike den Brief gelesen hat beschließt sie, Herrn Ockel anzurufen, um mit ihm zu besprechen, wie es nun mit der Verfüllung weiter gehen soll und wie man das am besten und schnellsten macht. Leider nimmt das Gespräch eine ganz üble Wendung, die sie mir sofort und brühwarm telefonisch mitteilt. Ich gehe gerade meiner Tätigkeit als Hausmeister nach, als plötzlich das Handy klingelt. Da ich schon auf dem Display sehe, dass es Meike ist, frage ich nur:

„Was gibt's?"

„Hallo ich bin's, wir haben den Brief von Münster bekommen", sagt sie.

„Ja, und? Was schreiben die?" frage ich neugierig.

„Viel juristisches Bla bla, warum wir nicht schon lange gegen Bauers geklagt haben, usw. Am Ende schreiben sie als Lösungsvorschlag, dass wir eine Verfüllung der Wandfuge machen sollten."

„Ja, aber das ist doch super, dann geht es doch weiter, das kann man doch schnell veranlassen", sage ich und freue mich riesig. Scheinbar sollte es doch noch kurzfristig klappen mit dem Weiterbau. Meikes Reaktion ist merkwürdig verhalten.

„Was ist los?" frage ich, „freust du dich nicht?" Da

platzt es aus ihr heraus.

„Ich habe sofort bei Herrn Ockel vom Bauamt angerufen und wollte ihn fragen, wie es weitergeht, da hat er gesagt, gar nicht! Es sind jetzt Bilder aufgetaucht, die angeblich beweisen, dass das Fundament der Brandwand nur aus Erde und nicht aus Beton, wie wir es beschrieben haben, besteht. Daraufhin wird die erteilte Baugenehmigung nun endgültig hinfällig. Jetzt geht gar nichts mehr! Und daran bist nur DU schuld!" Peng, das hat gesessen. Nix von „schonend beibringen", wie ich das bei ihr seit dem Brand mache. Ich bin echt geschockt und wütend zugleich. Auf wen wütend? Egal, ich bin es. Ich breche das Gespräch und meine Arbeit ab und fahre erst mal zur Notunterkunft. Dort angekommen, tagt schon sehr hitzig der Familienrat. Alle sehen mich vorwurfsvoll an. Meike fängt als erste an zu schimpfen:

„Du bist das alles in Schuld, weißt du, woher die das angebliche Beweisbild haben?"

„Nee, weiß ich nicht. Von dem doofen Bruder, der dauernd am Knipsen ist? Oder dem dösigen Sohn, der auch den ganzen Tag nichts anderes zu tun hat, als uns zu beobachten und zu fotografieren?"

„Von wegen", poltert sie weiter, „von Deiner bescheuerten Face-Book Seite! Ganz öffentlich und für

jeden einzusehen, das haben die sich runtergeladen."
Ich gehe ins Büro an den Computer und alle hinterher.
Gehe auf meine Seite und scroll rum. Da, tatsächlich
ist ein Foto, auf dem Sascha auf dem Betonfundament
steht. Allerdings ist das Foto unscharf und der Beton
dreckig. Es ist nicht ganz klar zu erkennen, dass es
grauer Beton ist. Es könnte auch Erde sein, wenn man
es nicht besser weiß. (Oder uns etwas unterstellen
möchte!)

„Warum stellst du sowas ein?", fragt Meike immer
noch ärgerlich.

„Und warum machst du das auch noch auf
öffentlich?", fragen jetzt auch noch die Kinder. Ich
sitze ganz schön bedeppert vor dem Familiengericht da
und kann erst mal gar nix sagen. Dann beginne ich,
mich zu rechtfertigen, ich versuche es zumindest.

„Es war nicht auf öffentlich, sondern nur meine
„Freunde" können das sehen. Da das allerdings knapp
800 sind, ist es natürlich so gut wie öffentlich. Einer
meiner „Freunde" wird es weitergereicht haben!"
Obwohl ich innerlich explodieren könnte, spreche ich
ganz ruhig.

„Und ich hab das eingestellt, um stolz zu zeigen, wie
weit wir schon sind. Da wäre ich doch niemals drauf
gekommen, dass sich jemand das Bild runterlädt, es

zum Gericht schickt, ein Lügenmärchen dabei schreibt und dann sogar noch Recht bekommt", sage ich kleinlaut zu dem Tribunal in meinem Büro. So langsam beruhigen wir uns alle wieder und Meike kann sich sogar überwinden, mich in den Arm zu nehmen.

„Dann müssen wir jetzt beweisen, dass dem nicht so ist", sage ich nach einer Weile.

„Ja, morgen", sagt Meike, „jetzt kannst du erstmal Abendbrot essen." Das tun wir dann auch.

Am frühen Morgen um halb drei werde ich wach und schleiche mich aus dem Schlafzimmer und gehe ins Büro. Das mache ich jede Nacht seit dem Brand. Spätestens um vier Uhr werde ich wach und stehe leise auf. Dann sitze ich im Büro in der Stille der Nacht, arbeite, mache Schreibkram für die Firma. Ich sehe aber auch schon mal auf meine Facebook-Seite, was es Neues gibt. Da sind einige Nachrichten. Einige fragen, wie weit wir sind und wie es uns geht und ich antworte und stelle die neuesten Nachrichten und auch zwischendurch Bilder ein, die dann oft kommentiert oder geliked werden. Manches Mal sitze ich aber auch nur still da und grübele. Warum? Warum wir?

Die nächsten Stunden bereite ich vor zu beweisen, dass es sich nicht um Erde oder Dreck handelt, sondern um

Beton. Ich maile Martin, den Bauunternehmer an und bitte ihn, das schriftlich zu bestätigen. Ich maile zur Statikerin Frau Sawatz. Und sichte Fotos und auch kurze Filme von der Baustelle. Ich schreibe Briefe, die ich zum Anwalt sende und versuche darzustellen, dass wir Beton verarbeitet haben. Um halb acht bin ich fertig. Zu dieser Zeit kommen immer die Fahrer und Mitarbeiter und ich teile die Arbeit und die Aufträge für den Tag ein. Sascha kommt auch. Ihn bitte ich erst einmal, für mich eine CD zu brennen. Beim Sichten der zahlreichen Fotos waren auch Videos bei, auf denen man sieht, wie die Betonmischwagen vorfahren und von der Straße aus, gut sichtbar, durch die Rutsche Beton in die ausgenommene Baugrube schütten. Ich habe etliche Fotos ausgedruckt und entsprechend beschriftet und betitelt. Auf einem sieht man, wie ausgeschachtet wurde, auf einem sieht man, wie wir Drahtkörbe fürs Betonieren herstellen. Auf einem sieht man die zahlreichen Armierungsstangen mit den Körben drum herum und so weiter. Am frühen Vormittag antworten auch die Angemailten. Erst ruft Martin zurück und ich teile ihm mit, worum es geht und was ich brauche. Er ist fassungslos über das Gehörte und verspricht, sofort zu helfen. Kurze Zeit später erhalte ich Faxe von ihm, wo ausführlich beschrieben wird wie wir / wie er gebaut hat. Sogar Lieferscheine mit Mengenangaben von etlichen

Betonmischwagen fügt er hinzu. Frau Sawatz ruft zurück und spricht sehr lange mit Meike. Sie ist auch sehr empört über so eine Dreistigkeit unserer Nachbarn und zusätzlich in ihrer Berufsehre gekränkt. Da man ihr offensichtlich zutraut, zumindest ihr unterstellt, dass sie eine tonnenschwere Brandwand nur auf eine Bodenplatte bauen lässt, welche nur auf Erde aufliegt. Auch sie mailt anschließend eine ausführliche Stellungnahme diesbezüglich. Ich fertige drei Mappen an. Eine fürs Gericht, eine fürs Bauamt und eine für meine Unterlagen. Die Ordner mit dem Baustreit werden inzwischen immer voller. Es muss weitergehen und das schnell!

Ich hänge mich mal wieder ans Telefon. Bin eigentlich gar nicht so ein Fan davon. Schreibe lieber kurz Nachrichten als SMS oder über WhatsApp. Aber jetzt geht es ja nicht anders. Als erstes rufe ich bei Herrn Ockel an. Ihm möchte ich zunächst erklären, dass wir das Fundament aus Beton gemacht haben.

„Das kann ich mir auch nicht anders vorstellen, ich glaub euch das doch auch", sagt er.

„Ich habe Unterlagen mit Fotos zusammengestellt. Da ist sogar eine CD bei, auf der zu sehen ist, wie der Betonmischer vorfährt und Beton da reinkippt. Die lasse ich Ihnen zukommen und eine schicke ich zum

Gericht. Dann müsste doch alles geklärt sein", sage ich eifrig. Seitdem mir und auch der Stadt „Kungelei" in den Briefen von Anwalt Schön vorgeworfen wird und Herr Schön das auch ganz offen in Briefen an das Verwaltungsgericht uns unterstellt hat, bat mich Herr Ockel darum, ihn wieder zu siezen. Ich habe sowas noch nie erlebt, finde es beschämend aber akzeptiere das.

„Leider ist es nicht ganz so einfach", antwortet Herr Ockel, „auf dem Bild war auch ganz klar zu erkennen, dass die Kellerwand, wie schon vorher von Anwalt Schön behauptet, nicht grenzständig ist. Das ist zwar beim Kellerbau, also unterirdisch erlaubt, muss dann allerdings auch so gezeichnet werden." Ich merke wie mein Adrenalinpegel schon wieder nach oben schießt.

„Und? Wie soll es jetzt weiter gehen?"

„Herr Ring, Sie haben jetzt im Prinzip drei Möglichkeiten. Erstens, Sie einigen sich mit Ihren Nachbarn, das heißt letztendlich, Sie zahlen. Zweitens, Sie bauen wieder zurück und stellen alles wieder in den Ursprungszustand, das heißt, Sie reißen die Wand ab und den Keller wieder raus. Oder drittens, Sie stellen einen komplett neuen Bauantrag!"

„Das ist ja wohl nicht wahr " bölke ich nun voller Wut, " bevor ich denen das ganze Geld in den Hals

schmeiße, reiße ich lieber den ganzen Scheiß ab."
Meine Stimme überschlägt sich. Ich lege auf und
bekomme einen Wutanfall, schimpfe laut vor mich hin
und schlage voller Wut mit der Faust vor die Bürotür,
dass es nur so scheppert. Ich drehe mich um und sehe
in die entgeisterten Gesichter von Meike und den
Kindern. Die hatte ich gar nicht gesehen und bemerkt.

„Ich hab die Schnauze voll, ich fahr jetzt zum Haus
und reiß die Wand ein."

„Nein hör auf", sagt Meike.

„Das schaffst du doch alleine gar nicht", wagt Sascha
einzuwerfen.

„Das werden wir ja sehen", schnaube ich. Meike hängt
sich bei mir an den Arm und zieht mich zurück.

„Mach jetzt keinen Scheiß, beruhig dich und erzähl
mal, was Herr Ockel alles gesagt hat." Na gut, ich
setze mich erstmal, versuche mich zu beruhigen und
erzähle von unseren ach so rosigen Zu-
kunftsperspektiven. Jetzt wird erstmal diskutiert wie
wir weitermachen. Nach zwei Stunden und sechs
Tassen Kaffee habe ich mich beruhigt und sehe wieder
klarer. Die Wand alleine abzureißen wäre natürlich
wirklich bescheuert. (Aber nicht unmöglich für mich,
soviel Energie hab ich noch, wenn es sein muss.) Da
uns ein neuer Bauantrag um Wochen zurückschmeißt,

überlege ich, die Wand von Firmen abreißen zu lassen. Ich gehe also erstmal ins Internet und suche mir entsprechende Firmen raus, gehe auf deren Profile, lese mir durch, wie sowas professionell gemacht wird und schreibe fünf verschiedene Firmen an, bebildere die Mails und bitte um Angebote. Ich habe schon mal von Firmen gehört, die Beton sägen, teilweise ganze Häuser aufsägen und Betonbunker aufsägen, um sie bewohnbar zu machen, aber was sowas kostet? Keine Ahnung, ich bin mal gespannt. Dann gehe ich meinem Zweitjob nach. Callcenteragent. Meine neue Lieblingsbeschäftigung. Ich will mir als erstes Mal unseren Stararchitekten vorknöpfen. Der machte auf mich von Anfang an so einen Eindruck von einem verpickelten Schüler, wie er das erste Mal mit seinem Rucksäckchen ankam. Maximal ein abgebrochener Student. Aber unser Hausspezi Schulte hat ihn ja vermittelt, weil sein eigentlicher Architekt angeblich im Urlaub war. Der kannte ihn halt und er hätte auch schon mit ihm zusammengearbeitet. Vielleicht hatte sein Hausundhofarchitekt da auch grad wieder Urlaub?

„Hallo Herr Hibosch", fange ich erstmal freundlich an.

„Hallo Herr Ring", antwortet er, „was machen die Arbeiten am Haus?"

„Die machen gar nichts, die ruhen, wir haben nämlich

einen Baustopp", ist meine Antwort.

„Oh, das tut mir leid", entgegnet er.

„Mir tut es noch leider, zumal es durch Sie dazu kam."

„Wieso, was soll ich denn falsch gemacht haben?" fragt er.

„Sie haben die Brandschutzwand nicht exakt grenzgenau gezeichnet. Sie haben die Wand schräg zur Grenze gezeichnet."

„Ja, aber das ging doch nicht anders. Der Anbau Ihres Nachbarn ist doch da einen halben Meter im Weg. Der ist doch teils auf Ihrem Grundstück gebaut", will er sich rausreden.

„Herr Hibosch, das wussten Sie doch vorher, Sie waren doch hier vor Ort", sage ich.

„Ja klar wusste ich das, deshalb hab ich ja auch die Brandwand leicht schräg davor gezeichnet."

„Ja, aber damit ist es doch nicht getan", langsam werde ich ösig. „Sie können die Wand doch nicht einfach einige Zentimeter von der Grenze weg zeichnen."

„Hab ich ja auch nicht einfach, ich hab die Fläche dazwischen auf der Zeichnung schräg straffiert und dann hab ich den Schulte als Bauleiter angerufen, ihn drauf hingewiesen und gefragt, was wir da machen sollen."

„Und?"

„Er wollte sich dazu melden. Das hat er dann aber nicht gemacht."

„Und?" schreie ich inzwischen zum dritten Mal ins Telefon.

„Dann hab ich die Sachen beim Bauamt eingereicht. Es drängte ja auch die Zeit. Sie haben ja ständig Druck gemacht."

„Ja klar hab ich ständig gesagt, dass Sie aus'm Quark kommen sollen. Das heißt aber doch nicht, dass Sie eine halbfertige Zeichnung abgeben sollen und dann nichts mit mir besprechen. Ich hätte mich garantiert dazu geäußert! Stattdessen bringen Sie alles zur Stadt und lassen sich überraschen, was passiert? Geht's noch?"

„Herr Ring, Sie brauchen mich deshalb jetzt hier nicht anzuschreien", jammert er. War wohl wirklich ein wenig lauter, da Meike ins Zimmer kommt und die typische Handbewegung macht. Nicht schreien. Nicht aufregen. Komm runter, soll das heißen. Ich halte einen Moment inne und lass meinen Gesprächspartner verschnaufen. Jetzt wär der Moment für eine Zigarette. Ich glaube, ich fang wieder an mit dem Rauchen.

Lieber nicht.

„Ok", sage ich nun ruhiger, „wie kriegen wir die Kuh vom Eis, wie geht's weiter? Machen Sie uns neue Zeichnungen?"

„Ich weiß nicht, ob Herr Schulte mir das bezahlt, das sind ja wieder etliche Stunden Mehrarbeit", wagt der Architekt mir zu antworten.

„Ich erwarte, dass Sie das auch ohne Bezahlung machen, es war ja schließlich Ihr Fehler. Im Übrigen können Sie das ja auch Ihrer Versicherung melden. Dann müssten die eventuell einspringen. Sie haben doch eine solche Versicherung?" frage ich.

„Ja, ja", bestätigt er schnell, „die habe ich. Ich werde die mal anrufen und informieren. Ich rufe Sie danach zurück." Kurze Zeit später tut er das auch.

„Ich habe bei meiner Versicherung angerufen und die haben die Sache auch aufgenommen", sagt Herr Hibosch.

„Ich mache für Sie sofort neue Zeichnungen."

„Das hört sich doch gut an", antworte ich.

„Allerdings unter einer Bedingung."

„Die da wäre?" frage ich.

„Sie bestätigen mir schriftlich, dass Sie darauf

verzichten, mich haftbar zu machen", sagt unser Architekt.

„Das können Sie mal schön vergessen, das wüsste ich aber. Dann verzichte ich eher auf Ihre weitere Hilfe. Mit Sicherheit werde ich Ihnen keine schriftliche Bestätigung senden und Sie sind fein raus. Dann müssen wir das eben anders regeln", sage ich und lege enttäuscht auf.

227 Tage nach dem Brand

rufe ich bei meinem Bekannten vom Lokalfernsehen an. Bei der letzten Sendung, die ja während der Kirmes gedreht wurde, war es ja so geplant, dass es einen Monat später losgeht mit dem Aufbau des Hauses.

„Jogi, sag uns Bescheid", hieß es damals. „Ruf uns an, dann kommen wir und filmen das Aufbauen des Hauses. Das ist ja interessant." Also rufe ich jetzt an und will erklären, warum es nicht weitergeht. Ich berichte von dem Baustopp, von den an den Haaren herbeigezogenen Gründen dafür. Erläutere, dass unsere Nachbarn selbst den Grund geschaffen haben, warum nicht richtig gebaut wurde. Ich erzähle aber auch, dass es scheinbar den Richter einen Scheiß interessiert, was die Ursache ist. Wann es denn jetzt weitergeht, will Markus wissen. Ich auch, keine Ahnung.

„Da müsste man ja mal drüber berichten", meint Markus. Etliche Bekannte sagen in letzter Zeit auch:

„Da könnt ihr ja bald ein Buch drüber schreiben." ‚Na klar, könnte man das, aber interessiert das jemanden? Will das einer lesen?‘ denke ich dann immer. Und so bin ich auch jetzt am Überlegen, ob ich das will und ob es was bringt. Es gab natürlich auch negative Kritik, wenn auch nur vereinzelt im Internet, nach unseren letzten Sendungen. Aber diese Leute haben immer was zu meckern und außerdem können die mich am Kopp blasen. Was ich bei der Sache überlege ist, wie das bei der gegnerischen Seite aufgenommen wird. Vielleicht wird man dort dann noch böser, wenn wir an die Öffentlichkeit gehen. Noch böser? Geht das überhaupt? Markus und ich spinnen die Idee weiter, eine aktuelle Sendung zu machen. Man müsste natürlich auch die Gegenseite einladen, mitzumachen und auch zu Wort kommen lassen, wenn das gewünscht wird. Das leuchtet mir ein und ich hab auch überhaupt nichts dagegen. Langsam finde ich die Idee gut. Mehr als einen Baustopp können wir doch auch nicht kriegen, haben also nichts zu verlieren. Und vielleicht wird ja jemand aufmerksam, der uns helfen kann. Da gibt es doch so Sendungen im Fernsehen, wo Leuten geholfen wird, die Schwierigkeiten beim Bauen haben. Vielleicht hilft uns ja auch einer? Ich will auch nichts unversucht lassen, diese unsägliche Situation endlich zu beenden und so sage ich zu. Markus möchte es mit seinem Vorgesetzten besprechen, weil er das nicht so einfach allein entscheiden kann. Wenn es nach ihm gehen würde, käme er sofort vorbei.

„Ok", sage ich zu ihm, „wir sind dabei."

„Das ist klasse", sagt er erfreut, „ich kläre den Termin bei uns ab und melde mich dann." Das macht er auch am nächsten Tag. Ziemlich zerknirscht teilt er mir mit, dass sein Vorgesetzter von der Idee nicht so begeistert war.

„Das verstehe ich nicht", sage ich.

„Jetzt wäre doch die Möglichkeit, uns zu helfen. Letzten Endes wäre es doch auch interessant für den Fortlauf der Sendung. Ihr wolltet doch darüber berichten, wie es mit uns weiter geht. Und mit was für Schwierigkeiten wir beim Wiederaufbau unseres Hauses zu kämpfen haben. So hatte ich Eure Motivation zu diesen Berichten über uns verstanden. Warum will er das denn nicht?" frage ich enttäuscht. Markus druckst herum und erzählt was von rechtlichen Bedenken, von Neutralität, von verklagt werden usw. Ihm ist das alles peinlich. Egal, da kann man halt nichts machen. Ich verabschiede mich von Markus. Ich versichere ihm auf seine Frage, dass wir trotzdem in

Kontakt bleiben und schlucke auch meine Bemerkung, dass ich seinen Vorgesetzten für einen Feigling halte, lieber runter.

Es ist wirklich frustrierend, gerne würde ich viel cooler an die Sache herangehen. Immer wieder überlege ich, wie wir aus dieser blöden Situation herauskommen. Und natürlich kommt da schon oft der Gedanke, warum die Nachbarn einen so ärgern. Wie sie es schaffen, sogar einen Anwalt für ihr schäbiges Tun zu begeistern. Naja, wie schon. Er bekommt Geld dafür und ich muss endlich mal akzeptieren, dass ein Anwalt vollkommen emotionslos an so eine Sache geht. Wäre ja auch noch schöner, wenn er sich jeden Fall zu Herzen nehmen würde. Nicht selten höre ich in letzter Zeit, wenn ich gefragt werde, ob es, wie es und wann es weitergeht und ich erzähle, woran es liegt und wie uns die Bauers von nebenan immer wieder am Weitermachen behindern und ein Fertigstellen blockieren, ob ich nicht mal rübergehen könne, wenn es dunkel ist und denen so richtig was aufs Maul hauen könne, schließlich sei ich doch stark genug. Jo, stark genug ja. Angst hab ich auch keine. Aber bescheuert bin ich auch nicht. Zum Glück ist mir noch nicht einmal ernsthaft der Gedanke gekommen, auf diese Art und Weise den Konflikt zu lösen oder aber mich nur abzureagieren. Wen solle ich auch verdreschen? Herrn

Bauer? Der hat mir doch gar nichts getan und ich bin fest davon überzeugt, dass er auch gar nichts mehr mitkriegt von dem ganzen Gedöhne. Seinen Bruder, den bekloppten Vogel? Oder gar Frau Bauer mit dem lästigen Töchterlein? Blieb noch das schäbige Söhnchen. Ja, da könnte man ja mal drüber nachdenken.... Nein! Allerdings ein wenig ärgern, um mir den Frust zu vertreiben, das könnte man ja mal machen.

Ich habe bei meinen geretteten Sachen aus meinem früheren Keller noch eine alte Werkssirene. Sie ist ohrenbetäubend laut. Als ich früher noch in einer Firma arbeiten ging, hupten die Sirenen immer zur Pause und zum Feierabend. Irgendwann wurden sie ausgewechselt und ich durfte mir eine mitnehmen. Seitdem kam sie erst zweimal bei einem Polterabend zum Einsatz. Mit mäßigem Erfolg, sie war halt zu laut und nervig und ich war dann der einzige, der das lustig fand. Ob die aber noch funktioniert, nachdem sie feucht geworden ist? Das probiere ich mal schnell aus. Sie läuft noch und somit habe ich einen Plan. Am nächsten Tag verlege ich auf der Baustelle ein Kabel vom Keller zum Gartenhaus und wieder zurück. In der Nacht um zwei fahre ich zur Baustelle, verstecke die Sirene im Keller und mich im Gartenhaus. Es ist Totenstille und ich mache natürlich auch kein Licht an. Ich stecke den Stecker ein und ein ohrenbetäubender

148

Heulton ertönt durch die Nacht. Nach einer halben Minute ziehe ich den Stecker wieder raus und warte, ob jemand reagiert. Es tut sich nichts. Mist, haben die so einen guten Schlaf? Oder schläft die Alte mit Ohrstöpsel? Nach fünf Minuten der zweite Versuch. Jetzt mal eine Minute lang. Ruhe. Zuerst tut sich nichts, da endlich geht Licht an. Jepp, ich fange an, das Ganze lustig zu finden. Plötzlich geht die Terassentür von Bauers auf und heraus tritt im Nachthemd Frau Bauer. Der Anblick ist nicht schön aber sehr lustig. Für mich. Sie sieht sich fragend um und geht dann schließlich kopfschüttelnd wieder rein. Hei, war das ein Spaß. Ich warte noch eine Stunde und verlasse dann wieder leise und heimlich die Baustelle. Ich überlege noch auf der Rückfahrt zur Übergangswohnung, ob ich das jetzt noch öfters mache. Wach bin ich ja sowieso. Aber mit Rücksicht auf die anderen Nachbarn im Dorf sehe ich davon ab. Es muss doch noch was anderes zum Ärgern geben. Ich hab's. Zwei Tage später schleiche ich mich nachts wieder auf die Baustelle und husche in den Keller. Ich habe mir überlegt, die Wand zu Bauers mit einem Abbruchhammer zu bearbeiten. Damit die Wand aber nicht wirklich kaputt geht, halte ich ein antikes Bügeleisen vor den Elektrohammer. Wo früher heiße Kohlen rein kamen, halte ich nun den Meißel vor die gusseiserne Bodenplatte. Dadurch wird die Mauer geschützt und der Lärm um ein vielfaches verstärkt. Ich lege erst mal eine Minute los. Dann warte ich eine Stunde und mache dann noch mal zwei Minuten Krach. Zum Glück habe ich Kopfhörer auf. Der Nachteil bei der Aktion ist, dass ich nicht mitbekomme, ob nebenan reagiert wird. Ich wiederhole das ganze zwei Tage später noch einmal, dann kriege ich mich wieder ein. Genug Frust abgebaut, es gibt noch was anderes zu tun!

In den nächsten Tagen kommen die ersten Angebote für den Brandwandabriss. Die Summen für den Abriss liegen zwischen 22.000 € und 35.000 €. Das sind ja mal stolze Summen. Ich warte erst mal noch, zwei Firmen haben noch nicht geantwortet. Außer den Angeboten kommt auch ein Anruf von Herrn Ockel. Meike spricht mit ihm und er appelliert, sie solle mir doch den Abriss der Wand ausreden. Ich überlege, warum er das nicht möchte. Am nächsten Tag erhalte ich einen Anruf von einer der beiden Firmen, dessen Angebote noch ausstehen. Es ist der Chef persönlich, wie er mir erzählt. Er ist sehr verwundert, was sich bei uns abspielt. Als er an der Baustelle vorfuhr, um sich ein Bild vom Umfang der Arbeiten zu machen, kam sofort Frau Bauer rausgeschossen. Sie hätte wohl sofort rumgekeift. Das wäre die Wand, die weg müsse und das so schnell wie möglich. Sie wäre es leid. Und es sollte bloß nicht so viel Dreck und Lärm dabei gemacht werden.

„Was stimmt denn mit der nicht?" will mein Gesprächspartner wissen. Das kann ich ihm nicht sagen, erzähle nur die Vorgeschichte, warum eine nagelneue Wand abgerissen werden soll. Ihm tut das ehrlich leid, wie er mir versichert und macht uns deshalb das unglaubliche Angebot, die ganze Wand inclusive Entsorgung für 5.000 € abzureißen! Nachdem ich zuerst gedacht habe, ich hätte mich verhört, bedanke ich mich für das Angebot. Ich finde das nett und sage ihm das auch. Ich werde mich bei ihm melden, wenn wir die Wand definitiv abreißen lassen wollen. Trotz des supergünstigen Angebotes beschließe ich, die Wand nicht beseitigen zu lassen. Ich weiß nicht so recht warum, aber mich stört unter anderem schon diese Vehemenz von Frau Bauer. Das ist bestimmt eine Falle nach dem Motto, da kriegen die nie wieder eine genehmigt. Die lassen wir jetzt mal schön stehen, was wir haben, haben wir. Bei meiner Meike renne ich mit diesem Entschluss offene Türen ein. Sie freut sich sichtbar, als ich ihr meine Entscheidung mitteile. Gemeinsam überlegen wir nun, wie es weiter geht. Wir kommen zu der Überzeugung, dass wir am besten einen neuen Bauantrag einreichen. Wie gesagt, was wir haben, haben wir. Nur fehlt uns zum Weitermachen jetzt ein Architekt.

„Wir können doch Herrn Heldmann fragen, ob er nicht wieder weitermachen will", schlägt Meike vor. Ich zögere erst. Mir war er zu langsam am Anfang. Seine Bedächtigkeit machte mich nervös. Letztendlich bin ich bei unserem Nachfolgearchitekt auch nervös geworden. Sehr nervös. Als ich mich beim ersten Mal von Herrn Heldmann getrennt habe, war mir das schon sehr unangenehm. Und jetzt wieder angeschissen kommen und bitte weitermachen betteln? Auf der anderen Seite: sein Geld hat er damals bekommen, wir haben uns im Guten getrennt und er hat ja sogar noch angeboten, wenn wir noch einmal seine Hilfe bräuchten, sollen wir uns melden. Das wäre ja jetzt der Fall. Ich beschließe, ihn zu fragen, mehr als nein sagen, kann er schließlich auch nicht. Als ich ihn anrufe und frage, sagt er auch sofort zu. Irgendwie ein beruhigendes Gefühl, ihn wieder im Boot zu haben....

229 Tage nach dem Brand

gehen Meike und ich zu unserem Anwalt und teilen ihm mit, dass wir uns nun entschieden haben, einen neuen Bauantrag zu stellen. Er sieht das auch als gute Lösung. Er informiert nun das Gericht über unser Vorhaben und erklärt uns, dass für ihn damit die Angelegenheit erledigt sei. Er könne nun die Akten schließen und beendet damit sein Mandat. ‚Der hat's hinter sich', denke ich. So richtig begeistern konnte er mich nicht mit seiner Arbeit. Zuviel Weichspülerei mit der Stadt, zu zögerliches Vorgehen gegenüber unserer Nachbarn. Als ich vorschlage, dass es doch jetzt mal an der Zeit sei, gegen den Anbau unserer Nachbarn vorzugehen, sagt er nur, man wolle doch keinen „Rosenkrieg". Das käme bei Gericht auch nicht so gut an. Ich habe schon die ganze Zeit den Eindruck, dass wir bei Gericht nicht so gut ankommen.... Und überhaupt, Rosenkrieg? Ich denke, das ist schon lange viel schlimmer, was hier von unseren lieben Nachbarn veranstaltet wird, aber egal. Die Bestätigung für meine Meinung haben wir am nächsten Tag im Briefkasten. Von unserer Versicherung wird uns mitgeteilt, dass Familie Bauer nun große Sorge hat. Aufgrund der neuen Sachlage nämlich, dass wir angeblich nicht Beton verfüllt haben, sondern nur Erde zwischen den Kellerwänden ist, würde ihr Keller feucht. Dass er das schon immer ist und war, verschweigen sie mal wieder. Da sind angerostete Stahlträger in der Decke, die Wand zur Straßenseite ist komplett feucht. Ein dickes Loch klafft da in der Mitte. Dort ist früher mal die Hauptstromleitung reingeführt worden. Nachdem man die Leitung woanders ins Haus geführt hat, ist das Loch noch nicht einmal verputzt worden. Des

Weiteren ist ein Lichtschacht vor dem Fenster zum Bürgersteig hin nicht nur feucht, sondern nass. Im Bürgersteig ist lediglich ein Gitterrost eingelassen. Ohne irgendwelche Abdeckung. Wenn es regnet, läuft es logischerweise da rein. Aber jetzt haben sie angeblich Angst, dass der Keller feucht wird. Ist schon klar.

Nachtigall, ick hör dir trapsen! Das Ganze wäre ja auch eine lustige Posse, wenn nicht am Ende des Briefes von unserer Versicherung schon mal vorsorglich „für entstehende Feuchtigkeitsschäden nach unserem Falschbau" 6.000 € gefordert würden. Unsere Versicherung lehnt diese Forderung selbstverständlich ab. Zum einen war ein Sachverständiger von unserer Versicherung ja bereits im Keller von Bauers und hat die wirklichen Gründe ja schon aufgezeigt und letztendlich ja auch durch Bilder dokumentiert. Zum anderen muss man sich natürlich fragen, wie unverschämt und dreist das ist, schon vorsorglich eine so hohe Summe einzufordern. Aber versuchen kann man es ja mal und der Anwalt bekommt ja schließlich jeden Brief bezahlt!

231 Tage nach dem Brand

liegt meine Meike blass und erschöpft auf der Couch im Wohnzimmer. Sie liest kein Buch und sieht nicht fern, sie liegt einfach nur da und sieht schlecht aus. Sogar mir fällt es auf. Ich weiß das ich mich nicht allzu viel um sie kümmern konnte. Gerade in den letzten Tagen habe ich nur rumgewirbelt, telefoniert, geschrieben, organisiert und bin zur Baustelle gefahren, um mich um den feuchten Keller bei uns zu kümmern. Das ruhige Familienleben blieb schon lange auf der Strecke....Wir sind uns einig, dass ich Meike ins Krankenhaus bringe und allein, dass sie mit dem Vorschlag einverstanden ist, sagt viel über ihren Zustand aus. Im Krankenhaus spreche ich mit der Ärztin und sage ihr, was bei uns los ist und dass ich mir große Sorgen mache. Es ist dieselbe Ärztin, die Meike damals nach dem Brand behandelt hat. Daran erinnert sie sich auch.

„Ihre Frau hat einen Nervenzusammenbruch", erklärt sie mir. „Wir werden sie erstmal ein paar Tage hier behalten, beobachten und ihr Medikamente zur Beruhigung und zum Schlafen geben. Sie ist halt eine zarte Person." (sagt die Ärztin zum Kleiderschrank, der vor ihr steht. Ok, hab ich verstanden.) „Ich kann nur hoffen, dass sie sich nicht wieder selbst entlässt, wie nach dem Brand", verabschiedet sie sich mit einem Lächeln. ‚Aber danach sieht es im Moment nicht aus', denke ich, als ich wieder zu ihr ans Krankenbett komme. Nach einer Stunde bittet sie mich, zu gehen, weil sie schlafen möchte. Ob sie wohl gemerkt hat, dass ich selbst überhaupt keine Ruhe habe, um an ihrem Bett zu sitzen? Drei Tage bleibt Meike im Krankenhaus, dann kann ich sie zurück in unseren Abenteuerspielplatz holen.

239 Tage nach dem Brand

lasse ich die neue Heizung installieren. Mit der Firma habe ich besprochen, dass die Therme ja schon im Hausanschlussraum eingebaut und angeschlossen werden kann. Ich habe den Raum soweit vorbereitet, verputzt, gestrichen und verkabelt. Da ich im großen Kellerraum, welcher später die Werkstatt werden soll, bereits die Fußbodenheizung habe verlegen lassen, kommt mir nun die Idee, diese Fußbodenheizung auch anschließen zu lassen. Später muss das sowieso gemacht werden und so habe ich überlegt, warum nicht schon jetzt. Das ist bestimmt auch gut für den Keller, der immer noch nicht trocknen will. Also wuchten wir zu vier Mann die Therme und den Ausgleichbehälter die Treppe runter und ich lass die Klempner arbeiten. Natürlich bleibt die Aktion unseren Nachbarn nicht verborgen und so erhalte ich schon am nächsten Tag einen Anruf von Herrn Ockel vom Bauamt.

„Die Nachbarn haben beobachtet, dass auf Ihrer

Baustelle Aktivitäten stattfinden, obwohl doch ein Baustopp besteht", fängt er an. „Sollten diese nicht sofort eingestellt werden, muss ich eine Stilllegung verfügen."

„Was heißt das?" frage ich.

„Dann dürften Sie nicht nur nicht weiterbauen, sondern die Baustelle auch gar nicht mehr betreten." Daraufhin meine ich zu ihm: „Also, dass die Nachbarn das mitkriegen, war natürlich klar, die riesigen Aggregate von dem LKW auf die Bodenplatte und dann runter in den Keller zu tragen, konnte natürlich nicht unbemerkt bleiben. Dazu zwei Firmenautos mit Reklame drauf und die Klempner, die den ganzen Tag rumwuseln, an die Autos gehen, um Material oder Werkzeug zu holen, das konnte man nicht heimlich machen. Da der Keller aber feucht ist, unter anderem sind die Planen nicht ganz dicht, dachte ich, dass man schon jetzt die Heizung einbauen kann. Ich habe das gar nicht so als Bautätigkeit angesehen und dachte im Übrigen auch, dass es erlaubt sei, da es sich im Keller abspielt." Obwohl es mich wahnsinnig aufregt und ich der Überzeugung bin, dass die dämlichen Bauers von nebenan ihre wahre Freude dran hätten, wenn wir niemals unseren Keller trocken kriegen, geschweige denn unser Haus darauf setzen können, versuche ich ruhig zu bleiben, unsere Nachbarn nicht vor Herrn

Ockel zu verteufeln und backe lieber kleine Brötchen.

„Die Heizung ist fertig installiert. Wenn ich jetzt nicht mehr die Baustelle betreten dürfte, wäre das katastrophal. Ich muss doch jeden Tag die Wasserbehälter der Trockner leeren, auch schon mal kleine Pfützen aufsaugen und das Tropfwasser an der Decke abwischen oder zum Teil absaugen", sage ich.

„Dazu kommt", meint Herr Ockel nun, „dass sich Bauers sorgen, dass die Brandschutzwand umkippt." Ruhig bleiben, kleine Brötchen backen....

„Herr Ockel", antworte ich nun, „im Leben glaube ich nicht, dass sich Bauers um mein Leben oder meine Gesundheit Sorgen machen. Also können sie ja nur Angst haben, dass die Brandwand zu ihrer Seite umfällt. Dann kann ich allerdings nicht verstehen, warum man trotz Todesangst dort seelenruhig weiter wohnen bleibt. Das ist doch irgendwie unlogisch. Oder vielleicht nicht?" Scheinbar überzeugt ihn meine Argumentation und Erklärung.

„Also gut Herr Ring, dann werde ich von einer Stilllegung absehen, muss Sie aber nochmals darauf hinweisen, dass ansonsten nicht auf der Baustelle gearbeitet werden darf." Puh, das ist ja noch mal gutgegangen!

158

beschließe ich, da ich im Nachhinein nicht sehr begeistert von unserem bisherigen Anwalt war, mir nun einen zu suchen, der nicht in der Nachbarstadt beheimatet ist. Er sollte keinen Bezug zur Stadt Gevelsberg haben und auch keinen Bezug oder aber Angst vor dem Anwalt unserer Nachbarn. Das waren alles Sachen, die, so glaube ich jedenfalls, unseren bisherigen Anwalt aus der Nachbarstadt gehemmt haben. Ich recherchiere deshalb im Internet und werde fündig bei einer großen Kanzlei mit dem schönen Namen Kohlen & Benz, die ihren Sitz in Essen haben. Dort rufe ich zunächst einmal an, ob überhaupt Interesse besteht, unseren Fall zu übernehmen. Dass ist da und sogleich kläre ich die finanziellen Angelegenheiten ab. Das wären 3.000 €, die man haben möchte, um sich in den Fall einzulesen bzw. einzuarbeiten. Jede weitere Stunde soll dann 300 € kosten. Ganz kleines bisschen mehr als Peanuts, aber es hält mich nicht ab. Ich habe versprochen, einen Ordner mit aller bisher stattgefundenen Korrespondenz zusammenzustellen, das ganze kurz schriftlich zu erläutern und letztlich zu bebildern. Mach ich doch gerne, inzwischen mein Spezialgebiet.

Nach einigen Stunden bin ich damit fertig und setz mich ins Auto, um den dicken Ordner direkt in Essen vorbeizubringen. Leider ist der Anwalt von den 18 insgesamt dort Beschäftigten, welcher uns zugeteilt wurde, nicht zu sprechen und so vereinbare ich mit der Sekretärin, dass ich die Unterlagen dort lasse und der Anwalt sich in ein paar Tagen meldet, wenn er alles gelesen hat. Um mich ein wenig abzulenken von Anrufen und Schreibereien mit Anwälten und Behörden, fahre ich am nächsten Morgen zur Baustelle. Ich will dort ein wenig im Keller basteln.

In unserem alten Haus hatten wir eine antike englische Bad-kommode. In die Marmorplatte, auf der ursprünglich die Wasch-schüssel stand, habe ich damals einen Spülstein einarbeiten lassen. So ähnlich möchte ich nun eine alte Anrichte, die wir bereits ge-kauft haben, umbauen. Ich habe mir dafür einen Spülstein aus dem Internet ausgesucht, der nicht so rund, sondern eher oval ist, damit er in die Deckenplatte der Anrichte hineinpasst. Wir haben bei der Kelleraktion ja etliche Kisten gerettet, in denen Kleinkram gelagert war. Nach und nach habe ich diese Kisten durchgesehen, ob man noch etwas davon gebrauchen kann. Sehr vieles musste ich dabei wegschmeißen und aussortieren. Aber in einer Kiste habe ich einen antiken französischen Wasserhahn entdeckt. Es handelt sich um einen dreiteiligen Standhahn, das heißt rechts und links sind jeweils eine

Säule mit einem Handrad für kaltes oder heißes Wasser. Ich brauche also, um diese Armatur in das Spülbecken einzuarbeiten drei Löcher. Das Loch in der Mitte ist bereits fertig. Rechts und links die Löcher sind von unten vorgestanzt, man brauch sie nur noch rauszuhauen. Hat sich in der Artikelbeschreibung ganz easy angehört. Ich versuche also mein Glück und fange an, den Spülstein zu bearbeiten. Um die Spannung herauszunehmen, bohre ich zunächst ein kleines Loch in die Keramik. Dann beginne ich vorsichtig, mit meinem spitzen Dachdeckerhammer das Loch größer zu pickeln. Es ist mühsam, weil ich ja auch vorsichtig arbeite, aber es geht. Nachdem ich das zweite Loch gebohrt habe, beginne ich auch an dieser Stelle, das Loch größer zu knabbern.

Peng! Der Spülstein platzt in zwei Teile. Scheiße. Mit dem Glück ist es im Moment nicht so weit her. Wie heißt es so schön, „...und dann kam auch noch Pech hinzu...". Das war ja mal gar nichts. Hätte ich genauso 380 € ins Klo schmeißen können. Ich fahre zurück in die Übergangswohnung und rufe direkt bei Villeroy & Boch an. Ich frage nach, ob man nicht den Spülstein fertig gelocht mit 3 Löchern kaufen kann. Das wird dort verneint, aber man gibt mir eine Händleranschrift, der es vielleicht machen könnte. Bei diesem rufe ich auch sofort an und frage nach dem Modell des

Spülsteins, den ich nun zweiteilig im Keller liegen habe. Auf meine Frage, ob bei ihm vor Ort denn die beiden zusätzlichen Löcher rausgehauen werden könnten, antwortet er, dass das kein Problem sei. Es kostet allerdings 15 € extra. Na, die bezahle ich doch gerne und bestelle sofort einen neuen Spülstein. Für mich bleibt ja noch genug Arbeit über. Die Armatur muss ja noch eingebaut werden. Und die Kommode muss umgebaut werden, um den Spülstein einzusetzen. War jetzt nicht sooo erfolgreich, der Tag.

Am nächsten Morgen ruft der Landtagsabgeordnete bei uns an. Es geht um einen Raum, welchen ich vor ein paar Jahren angemietet habe. Dort habe ich Hilfsgüter gelagert, welche ich von Zeit zu Zeit, wenn der Raum sich gefüllt hat, zu unserer Partnerstadt Sprotzawa in Polen bringe. Das habe ich ehrenamtlich gemacht, aber im Namen der Partei, zu der ich gehöre. Ich zahle zwar eine kleine Miete, aber der eigentliche Mieter ist die Partei. Da es weniger wird mit den Spendentransporten, will man das Mietverhältnis mit der Stadt auflösen. Als der Landtagsabgeordnete nun meiner Frau vorschlagen will, den Raum zu räumen, damit er kündigen kann, ist Meike entsetzt. Sie erklärt, dass das der einzige noch übrige Raum ist, wo wir einige Sachen von uns lagern können. Das versteht der Landtagsabgeordnete nicht und ist ganz erstaunt, als

Meike ihm erzählt, dass unser Haus abgebrannt ist. Davon hätte er nichts mitbekommen. Sagt er. Dann könne man natürlich das Mietverhältnis erst einmal weiter laufen lassen. Das wäre ja kein Problem. Warum ich dann doch 14 Tage später die Kündigung für den Raum bekommen habe, weiß ich auch nicht. Egal, miete ich mir eben 2 Garagen an und räume um. Habe eh grad Langeweile....

253 Tage nach dem Brand

möchte gerne Herr Schüttenhit, unser Vermesser auf das Grundstück unserer Nachbarn. Er muss für den neuen Bauantrag noch mal alles neu vermessen. Eigentlich hätte er ja von unserem Grundstück mal kurzfristig über den niedrigen Zaun steigen können, aber Herr Schüttenhit ist sehr gewissenhaft, sagt lieber vorher Bescheid und bittet um Genehmigung. Das hätte er mal besser nicht getan. Selbige wird ihm natürlich nicht erteilt, sondern ausdrücklich verboten. Zur Bekräftigung wird ihm sofort mit der Polizei gedroht. Völlig empört beschwert er sich bei mir, was das denn für unfreundliche Leute seien. Mich wundert gar nichts mehr. Da ich dachte, dass es ein gedanklicher Ausrutscher von Frau Bauer war, rufe ich bei Anwalt Schön an. Dort wird mir direkt gesagt, dass ich doch bitte bei ihm schriftlich um Betretungsrecht fragen solle. Das tue ich am nächsten Tag und Schwups, schon drei Tage später kommt die Antwort, dass Herr Schön auf einem Weiterbildungsseminar sei und jemand anderes aus der Kanzlei sei jetzt nicht in unseren Fall involviert. Weitere vier Tage später schreibt mir Anwalt Schön, dass das Grundstück nach einer Frist von vier Wochen betreten werden darf. Er erläutert was von Hammer- und Leiterrecht und es wäre üblich und bla bla. Tolle Verzögerungstaktik. Aber was will man machen. Schön, dass das alles so problemlos und locker geht....

256 Tage nach dem Brand

erhalte ich den Anruf aus der Kanzlei Kohlen & Benz.

„Dr. Kurt hier, von der Kanzlei Kohlen & Benz. Ich habe gerade mal eben kurz in Ihre Akten gesehen und verstehe da einiges nicht." Das Gespräch fängt schon bezeichnend an. ... mal eben kurz ... und dafür 3.000 €? Nach 10 Minuten und dann nach 20 Minuten wird das Gespräch für mich auch nicht aufschlussreicher. Es stellt sich heraus, dass genau diese Kanzlei auch des Öfteren die Stadt Gevelsberg vertritt. Aber man habe nachgefragt, es wäre kein Problem für die Stadt, wenn man auch für uns tätig würde. Das ist genau das, was ich nicht wollte. Man muss sich das vorstellen: das

Bauamt wird seit Jahren von der Anwaltskanzlei vertreten, welche ich jetzt nehmen möchte, um zum einen den neuen Bauantrag anwaltlich absegnen zu lassen und zum anderen aber, eventuell gegen die Stadt vorzugehen. Nicht nur wegen Schadensersatzansprüchen, sondern auch zunächst wegen falsch erteilter Genehmigungen. Letztendlich bin ich ja gar nicht verklagt, sondern die Stadt wird verklagt! Wir sind nur die Leidtragenden! Obwohl ich Dr. Kurt selbstverständlich eine große Kompetenz zuspreche, gelange ich trotzdem zu der Überzeugung, dass er sich nicht wirklich und ausführlich eingelesen hat. Außerdem stören mich Sätze wie:

„Da muss ich den Herrn Ockel noch mal zu anrufen." Er hat zu viele Fragen zum Fall, welche mir nebensächlich erscheinen. Er spricht mir zu juristisch und schafft es auch nicht, es mir auf Nachfrage weniger kompliziert zu erklären und gibt Zeitspannen an, die mir viel zu lange dauern. Ich habe mich vielleicht auch ein wenig blenden lassen von dem Internetauftritt der Kanzlei. 18 Anwälte alle mit Doktortitel, einige Professoren, einige Bücherautoren. Mit Sicherheit ein gewaltiges Volumen an Kompetenz. Aber warum sollen die schnell arbeiten? Das wird mir allerdings jetzt erst bewusst. Ich habe trotz allem kein gutes vertrauensvolles Gefühl bei der Kanzlei und bin

der Meinung, dass gerade das eine schlechte Aus-
gangsbasis ist. Nachdenklich beende ich das Telefonat.
Noch in der Nacht schreibe ich einen Brief an die
Kanzlei. Ich begründe darin ausführlich, warum ich
ihnen das Mandat entziehe. Na, dann kann ich ja
wieder nach Essen düsen und die ganzen Ordner
wieder abholen.

Es ist Wochenende. Ich habe schon in der Früh meine
inzwischen tägliche Fahrt zum neuen Haus hinter mir.
Ich schaue immer zuerst auf die Planen, ob sich dort
keine größeren Pfützen zwischen den Pfetten gebildet
haben. Dann gehe ich immer in den Keller, leere die
Trockengeräte und putze die Wände an den
schlimmsten Stellen ab oder sauge sie sogar, wenn es
ganz schlimm ist, mit dem Nasssauger ab. Nun warten
wir mit den Brötchen, die ich mitgebracht habe, auf ein
Pärchen mit ihrer Tochter, die ich zum Frühstück
eingeladen habe. Es ist eine Fotografin und eine Bekannte meines Bruders. Sie hatte mitbekommen was
uns passiert ist und spontan angeboten, von uns Fotos
zu machen. Als mein Bruder anrief und mir das
mitteilte, sagte ich, dass ich das zwar interessant fände,
aber ich wollte auch wissen, was es denn kosten solle.
Nichts, meinte er daraufhin. Die Birgit ist eine ganz
Nette, die will einfach nur helfen. Sie hat sich überlegt,
dass sie das machen kann, indem sie euch fotografiert

und somit auch ein wenig ablenkt. Als sie eintreffen, begrüßen wir uns erst mal herzlich. Man hat das Gefühl, als würde man sich schon jahrelang kennen. Dann wird ausgiebig mit allen gefrühstückt und wir stellen uns gegenseitig vor. Birgit erzählt, dass ihr Mann einige Jahre in Amerika gearbeitet habe und sie mit ihrer Tochter auch dort hingezogen ist. Sie berichtet von einer anderen Mentalität gegenüber den Mitmenschen, von einer Freundlichkeit gegenüber Nachbarn, die sie hier in Deutschland teilweise vermisst. Wir erzählen natürlich auch von unserem Brand und den daraus entstandenen Situationen. Erstaunen, Kopfschütteln und Fassungslosigkeit wechseln sich ab mit zahlreichen Fragen. Und so quatschen wir bis zum frühen Nachmittag. Birgit hat inzwischen einige Fotos in unserer Übergangsbehausung gemacht. Sie spricht sogar von einer gewissen Gemütlichkeit. Davon sind wir alle weit entfernt. Da ist diese permanente Unruhe bei den Kindern, bei Meike und aber vor allem bei mir. Ich will's gar nicht gemütlich hier haben. Ich will wieder ein Zuhause. Und das wird mit Sicherheit gemütlich. Ich denke das aber nur, sage es nicht. Will doch nicht immer jammern. Gemeinsam fahren wir dann zum neuen Haus, bzw. zur Baustelle mit Keller und Bodenplatte. Dort macht Birgit noch etliche Bilder von uns auf der schon fertigen Gartentreppe. Wir haben sogar ein wenig Spaß daran.

Als sich Familie Rutz verabschiedet und sich auf den Heimweg nach Sankt Augustin macht, merken wir alle, dass sie uns doch schon heute erfreut und abgelenkt haben. Danke dafür.

261 Tage nach dem Brand

habe ich mir einen Sachverständigen der Versicherung gerufen. Er soll sich mal unseren Keller ansehen und vorschlagen, wie man ihn trocken bekommt. Bei der Besichtigung untersucht er zunächst, wie der Keller so feucht werden konnte. Als erstes überprüft er die Außenisolation und stellt fest, dass sie korrekt und ordentlich ausgeführt wurde. Das habe ich nicht anders erwartet. Schließlich haben das doch zum allergrößten Teil Sascha und Danny gewissenhaft gemacht. Nun geht's wieder in den Keller. Dort stellt er fest, dass die Feuchtigkeit in der Wand von unten nach oben zieht. Dafür hat er auch eine logische Erklärung. Die Steine, die hier verwendet wurden, haben nach oben hin durchgehende offene Poren. Wenn man beim Bauen also nicht immer beim Feierabend die Wände abdeckt, kann es da rein regnen, aber das Wasser kann am Boden nicht entweichen. Ich habe ehrlich gesagt nie gesehen, dass die Bauarbeiter eine Wand abgedeckt haben. Allerdings habe ich da auch nicht drüber nachgedacht, aber klingt ja logisch. Zum anderen bemerkt er die feuchte Decke. Für ihn nichts neues. Er erklärt, dass durch den Beton Feuchtigkeit tritt. Außerdem kommt bei den Temperaturen, die wir jetzt teilweise in der Nacht haben, natürlich Schwitzwasser von unten an die Decke. Das könne man nicht vermeiden, schließlich sollte das ja nur ein kurzfristiger Zustand sein, dass die Bodenplatte freiliegt. Normalerweise wird ja sofort weiter drauf gemauert oder sogar ein Fertighaus draufgestellt. Normalerweise.... Das war von uns natürlich auch anders geplant.

„Na gut", sage ich nun. „Was kann man denn jetzt tun, um den Schaden zu beheben?"

„Sie könnten die Steine unten aufbohren, damit das Wasser rauslaufen kann", antwortet er.

„Wie das denn? Das sind in jedem Stein doch 50 Luftröhren, da müsste ich ja in jeden Stein 50 Löcher bohren. Das heißt eins neben den anderen. Damit geht doch aber jeder Stein kaputt, das sind doch schließlich tragende Wände", frage ich entrüstet.

„Mhh, tja", windet er sich, „dann müsste man eben nur ein paar Löcher pro Stein bohren."

„Und bei dem Deckenproblem?" frage ich. Lange Überlegungspause auf der Gegenseite, zu lange. Dann platzt er mal eben die Hiobsbotschaft heraus.

„Also ehrlich gesagt, kann ich den Keller nur kaputt schreiben. Den müsste man rausreißen und neu bauen." Ich bin geschockt. Das hatte ich jetzt aber nicht erwartet. Ich verabschiede den Sachverständigen und bleibe noch ein wenig allein im Keller. Ich muss nachdenken. Nach zwei Stunden bin ich soweit, dass ich mir überlege, nicht so einfach die Flinte in den Keller bzw. ins Korn zu werfen. Als erstes und wichtigstes: Meike darf nichts davon erfahren. Als zweites: Gas geben und um den Keller kämpfen. Das mache ich jetzt. Ich hatte schon immer eine besondere Beziehung zu Kellern. Als Kind wurde ich schon spaßeshalber Kellerkind genannt. Während andere draußen spielten oder in einen Fußballverein gingen, verbrachte ich lieber die Nachmittage im Keller und bastelte. Auch hier beim Neubau stand für mich sofort fest, bei der Gelegenheit einen extra großen Keller mit Werkstatt zu bauen. Letztlich brauchen wir die auch für die Firma, wenn bei Umzügen Möbel geändert werden müssen. Schon am nächsten Morgen starte ich das Programm „Kellerrettung". Da die Pfetten, die auf dem Boden liegen, ca. 6 cm hoch sind und wir die Planen darüber gespannt haben, hängen die Planen zwischen den Zimmerumrissen durch und es bilden sich große Pfützen. Wer morgens als erster an der Baustelle war, hat die Pfützen dann schon des Öfteren mit einem Wassersauger leergesaugt. Ich schicke als erstes Danny in den Baumarkt. Er soll Styroporplatten kaufen, die wir dazwischen auslegen können, damit wir für die neue Plane eine ebene Fläche haben. Ich recherchiere weiter, wo ich eine neue Plane herbekomme. Doch auch im Internet finde ich nichts anderes als die vorhandenen Bauplanen, die wir bereits haben. Die aber sind teuer, nicht 100 % wasserdicht und zu klein. Als ich mich telefonisch umhöre, bekomme ich den entscheidenden Tipp, es doch mal bei der Bauerngenossenschaft zu versuchen. Dort werden große Planen schon mal fürs auslegen in Silos oder zum Abdecken von Heu oder Stroh benutzt. Ich fahre sofort zur Genossenschaft nach Sprockhövel und frage, ob man da eine so große Plane bekommt.

„Wie groß soll denn die Plane sein?" werde ich dort gefragt.

„Die sollte 11 x 13 m sein", antworte ich.

„Wir haben welche in 12 m und 14 m Breite da."

„Und wie lang?"

„Die sind auf der Rolle, das können Sie bestimmen", sagt man mir. Wow, das hört sich gut an und ich lasse mir sofort etwas abschneiden. Etwas ist gut, es ist eine riesige Rolle von 1,50 m Länge und 70 cm im Durchmesser. Die müssen wir zu zweit ins Auto quetschen. Auf die Idee, einen LKW mitzunehmen, bin ich nicht gekommen. Als ich an der Baustelle vorfahre, kommt auch gerade Danny mit dem Styropor wieder. Es ist tatsächlich eine komplette Wagenladung von einem LKW voll. Jetzt beginnen wir zusammen mit Sascha, die alten zusammengeklebten Planen zu entfernen. Anschließend wird der Boden noch mal trocken gesaugt, damit wir das zurechtgeschnittene Styropor zwischen die Pfettenfelder verlegen können. Schließlich spannen wir die Plane komplett über die Bodenplatte. Nach einigen Stunden ist auch das geschafft. Ich fahre noch schnell in den Baumarkt und leihe mir zwei weitere Trocknungsgeräte. Von jetzt an haben wir vier Stück Tag und Nacht laufen. Die Styroporplatten machen den Boden nicht nur eben, sondern isolieren auch zusätzlich. Jetzt bin ich mal gespannt, ob wir das nicht schaffen, den Keller zu retten. Das hat jetzt erst mal 2.000 € gekostet, aber das musste ja sein. Und vielleicht bekommen wir das Geld ja später einmal wieder? Eher nicht. Von nun an hole ich täglich 10 Liter Wasser aus den Trocknungsgeräten. Wenn man länger im Keller bleiben will, um zu basteln, muss man die Tür auflassen, sonst kriegt man keine Luft mehr. Und die GEU lacht sich auch kaputt. Die denken bestimmt auch: wohnt noch keiner, aber haben einen Stromverbrauch wie ein Mehrfamilienhaus.

wollen Meike und ich mal wieder eine kleine Auszeit nehmen und
fahren zu unserem Wohnwagen. Wir sitzen gerade beim Frühstück als Sascha anruft. Bauers lassen einen Dachanschluss machen. Das passiert natürlich, wenn wir gerade nicht zu Hause sind. Ob die gesehen haben, wie wir unser Auto gepackt haben? Ich sage ihm, dass er sich das mal ansehen und mit den Dachdeckern sprechen soll. Das tut er auch und ruft dann wieder an.

„Die haben mir erklärt, sie machen das, indem sie die Anschlussprofile ankleben", sagt er.

„Ok", sage ich, „dann geht es ja." Nach zwei Stunden ruft Sascha wieder an.

„Die haben mich frech angelogen, von wegen kleben, die haben das verdübelt!" Es darf nicht wahr sein. Was nehmen die sich noch alles raus? Jetzt will ich es genau wissen. Ich rufe bei der Dachdeckerfirma an und frage zunächst freundlich, wer denn den Auftrag gegeben hat, den Dachanschluss zu installieren. Ich habe eine Frau am Apparat, die zwar freundlich ist, mir allerdings angeblich nicht sagen kann, wer sie beauftragt hat.

„Dann hätte ich gerne mal den Chef gesprochen", sage ich. „Der ist auf Montage", antwortet sie.

„Dann geben Sie mir doch bitte mal seine Handynummer", sage ich nun. Sofort rufe ich die Nummer an und mürrisch meldet sich der Chef. Ich sage, wer ich bin und frage nun ihn, wer ihn denn beauftragt hat. Das ginge mich nichts an und er würde mir das nicht sagen. Rotzfrech legt er auf. Ich bin verblüfft. Aber rotzfrech kann ich auch! Erneut rufe ich im Büro an und erzähle, dass er mir keine Antwort gegeben hat und einfach aufgelegt hat. Die Frau am anderen Ende der Leitung sagt, es tue ihr leid, aber da könne sie auch nichts machen. Sie glaube aber, dass eventuell der Anwalt unserer Nachbarn die Beauftragung gegeben hätte. Ich widerspreche ihr.

„Doch, Sie können was machen, ich gebe Ihnen genau eine halbe Stunde Zeit, mir per Fax schriftlich zu bestätigen, wer Sie beauftragt hat. Ansonsten werde ich nicht den Auftraggeber, sondern Sie als ausführende Firma wegen Sachbeschädigung anzeigen. Fakt ist nämlich, das Sie als erstes verpflichtet sind, mit mir Kontakt aufzunehmen. Und das sollten Sie tun, bevor Sie irgendetwas an meinem Eigentum anbringen. Das ist üblich, selbstverständlich und sollte Ihnen als Dachdeckerfirma nicht neu sein. Des Weiteren hat mein Sohn extra nachgefragt, wie der Anschluss gemacht wird und da hat man ihn mal frech angelogen.

Als letztes muss ich Ihnen mitteilen, dass nicht einfach in fremdes Eigentum gebohrt werden darf, schon gar nicht in eine Brandschutzwand! Sollten Sie das nicht wissen, erkundigen Sie sich beim Bauamt oder bei einem Statiker. Wenn das jemand von der Bauaufsicht bemängelt, kann es gut sein das die Wand an der Stelle erneuert werden muss. Darauf wurden wir extra von der Bauaufsicht hingewiesen, als es um das spätere verkleiden der Wand ging. Also, ich rate Ihnen mir das Fax zu senden." Zehn Minuten später bekommt Sascha ein Fax, auf dem nun steht, dass der Auftraggeber Herr Bauer gewesen sei. Keine Sprache mehr von Anwalt Schön als Auftraggeber. Geht ja auch nicht. Ist ja auch illegal, genaugenommen eine Aufforderung zu einer Straftat. Und sowas tut doch ein Anwalt nicht. Natürlich nicht. Irgendwie hab ich das Gefühl, dass man uns keine Auszeit gönnt.

276 Tage nach dem Brand

reichen wir bei der Stadt den neuen Bauantrag ein. Da uns Herr Ockel vom Bauamt geraten hat, diesbezüglich lieber einen Anwalt zu Rate zu ziehen, machen wir uns auf die Suche nach einem neuen Kandidaten. Der Mann unserer Statikerin ist auch Statiker, war aber früher beim Bauamt seiner Heimatstadt Menden beschäftigt. Wenn ich mal wieder seine Frau sprechen wollte, weil ich eine Bestätigung oder eine Zeichnung brauchte und sie nicht im Hause war, bot er an, ich könne auch mit ihm sprechen, er würde seiner Frau alles ausrichten. Dadurch war er auf dem laufenden, was unsere Geschichte des Bauens angeht. In einigen Telefonaten mit ihm drückte er schon aus, dass hier einiges bei uns schief - und in seinen Augen falsch gelaufen sei. Er würde schließlich beide Seiten kennen, die der Verwaltung, aber auch die des Statikers bzw. des Architekten. Zuletzt riet er mir schon, beide zu verklagen, aber egal. Nun rufe ich ihn an, um ihn zu fragen, ob er denn keinen guten Anwalt für Baurecht kenne. Er empfiehlt uns Rechtsanwalt Mischer in Werne. Natürlich kann er für nichts garantieren, aber er hätte mit dem Rechtsanwalt gute Erfahrungen und jedes Mal Erfolg gehabt. Na, dann wollen wir das mal ausprobieren und machen dort einen Termin. Meike möchte gerne mit und so fahren wir beide mit unseren Unterlagen zu Herrn Mischer. Obwohl es eine kleine Kanzlei ist, haben wir doch einen guten Eindruck.

Zunächst erzählen wir kurz den ganzen Sermon, um dann unsere Unterlagen dem Anwalt rüber zu reichen. Er studiert, schüttelt den Kopf, fragt einiges, schüttelt den Kopf und liest weiter. Nach einer Viertelstunde teilt er uns nun mit, dass er nicht nachvollziehen könne, wie unsere Nachbarn, das Bauamt und letzten

Endes die Gerichte reagiert hätten. So etwas hätte er noch nicht gehabt. Was soll uns das nun sagen? Ich weiß es nicht. Er sagt, dass wir selbst ja keine Fehler gemacht hätten und eigentlich wir selbst ja auch gar nicht verklagt seien. Es sei ja die Stadt verklagt worden, wir seien ja nur die Leidtragenden. Ok, das sehe ich auch so, es bringt uns aber jetzt nicht weiter. Dann fragt er, was er jetzt überhaupt in dieser Angelegenheit unternehmen solle. Wir erklären ihm, dass uns dazu Herr Ockel geraten habe.

„Ich habe ehrlich gesagt keine Lust und sehe nicht ein, die Schularbeiten für das Bauamt in Gevelsberg zu machen", sagt er. Dann fährt er fort:

„Das müssten Sie schließlich bezahlen und das sehe ich auch nicht ein." ‚Recht hat er', denk ich.

„Ich würde vorschlagen, Sie lassen die Unterlagen hier. Sollte etwas schiefgehen, dann, aber erst dann, schalte ich mich ein."

„Und wenn jetzt wieder ein Baustopp kommt?" fragt Meike ängstlich.

„Da kann ich Sie beruhigen", antwortet er zuversichtlich, „dafür haben Sie doch jetzt einen neuen Bauantrag eingereicht. Jetzt sollte doch alles stimmen. Ich kann mir nicht vorstellen, dass man dann so schnell bei Gericht einen neuen, einen zweiten Baustopp durchbekommt. Sollte das tatsächlich der Fall sein, rufen Sie an, dann werde ich blitzschnell und vehement zurückschlagen und mich für Sie einsetzen." Wir unterhalten uns auf der Rückfahrt über das Gespräch und sind beide sehr beruhigt und zuversichtlich.

284 Tage nach dem Brand

maile ich „meinen Freund" Dieter Schulte, unseren Häuslebauer an und berichte ihm, dass wir nun einen neuen Bauantrag eingereicht haben. Ich berichte von unserer Anwaltsstrategie und möchte nun von ihm wissen, wie es nun aus seiner Sicht weitergeht. Er mailt zurück, dass wir erst mal „das Geld" überweisen sollen. Ich bin erstaunt, suche mir die Unterlagen raus und beginne, sie zu lesen. Dort steht in dem Finanzierungsplan, dass wir eine Rate beim Aufstellen des Hauses in Höhe von 60.000 € zu zahlen hätten. Die nächste Rate von 25.000 € sei nach Beendigung des Aufstellens fällig. Und dann als letzte Rate 5.000 €, wenn alle Innenarbeiten gemacht worden sind, also Vorsatzwände installiert sind, die Außenwände verdübelt sind und die Rigipsbeplankung hergestellt ist. Am besten, ich bespreche das mal telefonisch mit ihm, versuche es, doch erreiche ihn nicht. Also schreibe ich ihm, dass es doch ganz anders abgesprochen sei und wir das auch schriftlich so vereinbart hätten. Er schreibt zurück:

„Lieber Jörg, ... und dann jammert er rum, dass er nicht dazu könne, dass die Nachbarn so Schweine wären, dass alles jetzt schon so lange dauerte und die ganzen Teile für das Fertighaus fertig seien und eine ganze Halle belegen würden. Das wären alles Kosten, die zusätzlich entstanden seien. Dazu käme, dass alle noch beteiligten Firmen, die Kranfirma, die Spedition und der Auf- und Ausbautrupp ihr Geld im Voraus haben wollen. Weil es ja bei uns so eine wackelige Angelegenheit sei, schließlich könnte ja noch mal ein Baustopp ausgesprochen werden, während man am Aufstellen sei, das wäre dann natürlich der Supergau. Er schreibt am Ende der Mail, ich solle ihm nicht böse sein, aber er müsse darauf bestehen, alles noch ausstehende Geld VORHER zu bekommen. Ansonsten würde kein LKW den Hof verlassen! Ich bin fassungslos. ‚Der nette Dieter, so 'n Arschloch', denke ich. Es ist Zeit für den Familienrat. Ich berufe ihn form- und fristgerecht sofort ein. Nach anfänglichem Schimpfattacken auf Dieter überlegen wir ernsthaft weiter. Sollen wir uns auf so eine Erpressung einlassen? Oder nicht? Wenn nicht, was haben wir für andere Möglichkeiten? Sollen wir jetzt sofort Dieter verklagen? Wie lange wird das dauern? Fragen über Fragen. Schließlich schlage ich vor, auf seinen

Vorschlag einzugehen und ihm alles Geld zu überweisen. Alle stimmen zu. Wir sind uns alle einig, dass wir so schnell, wie es geht wieder ein Zuhause haben möchten. Spätestens unter dem Tannenbaum möchten wir in unserem fertig ausgebauten Haus gemütlich sitzen. So der Plan... Am nächsten Tag rufe ich Dieter an und verkündige ihm die für ihn frohe Botschaft.

„Was habe ich dann noch gegen dich in der Hand?" frage ich ihn. „Nichts Jörg, du musst mir schon mal vertrauen", sagt er süffisant. Na, denn ....

Am nächsten Tag beginne ich mit der Planung des Aufstellens. Eigentlich müsste Dieter das machen, aber er hat keine Zeit. (Weil sich ja bei uns alles verschoben hat, meint er.) Also beantrage ich zunächst bei den technischen Betrieben eine Ausnahmegenehmigung, dass halbseitig auf der Straße ein Kran aufgestellt werden darf. Auf die Frage, wie groß der sei, kann ich nichts antworten, das weiß nur Dieter, der den ja auch ordern muss. Dann beantrage ich eine Sondernutzungserlaubnis für den Parkplatz gegenüber von unserem Haus. Dort sollen die großen Sattelschlepper geparkt und abgeladen werden. Da ich die Anträge stelle, darf ich natürlich auch die Gebühren bezahlen. Wäre ja eigentlich Dieters Sache gewesen, aber.... Jetzt muss ich noch mit meinem

Nachbarn Werner Ochse sprechen. Ich schelle an und erkläre ihm, was los ist. Dass wir beabsichtigen, freitags mittags unser Haus aufstellen zu lassen. Die Freude über die Nachricht ist bei ihm riesengroß. Als seine Frau Anette neugierig um die Ecke lögelt, sagt er ihr auch sofort, dass es bei uns weiter geht. Ich frage ihn, ob wir seine Einfahrt blockieren dürfen. Der Kran muss davor gestellt werden und kann natürlich nicht mal eben an die Seite fahren, wenn Werner mit seinem Auto aus oder in die Garage muss. Als ich ihn frage, ob er das Auto vielleicht ein paar Tage auf dem Standstreifen vor seinem Haus parken kann, will er das sofort tun. Ich muss lachen und erkläre ihm, dass das erst an dem Freitag sein muss, an dem das Haus aufgebaut wird. Er ist mit Feuereifer dabei, meint, es wäre überhaupt kein Problem, er würde das Auto draußen parken und er verspricht mir auch, niemandem vorher etwas zu sagen. Ich weiß, dass ihm das schwer fällt. Es ist schön zu sehen, wie sich die einen Nachbarn freuen, dass wir wieder zurückkommen, während die anderen alles daran setzen, uns den nächsten Knüppel zwischen die Beine zu schmeißen. Am Nachmittag kommt ein Mann zur Baustelle, der sich als Chef einer Kranfirma vorstellt. Er möchte sich die Örtlichkeiten ansehen und fängt an zu messen und schätzt, wie weit der Kran auf der Straße steht.

„Das passt so nicht, wie ihr euch das vorstellt", sagt er schließlich.

„Was heißt ihr?" entgegne ich, „das hat sich Herr Schulte ausgedacht."

„Ach ja , der ...", kommt da nur.

„Wir können höchstens auf dem Platz da unten einen Kran aufbauen und dann die Teile über die Straße schwenken. Dafür müsste es ein etwas größerer Kran sein, mit einem längeren Auslieger und einer höheren Tragkraft. Aber so einen haben wir, das ginge, ich spreche das mit Herrn Schulte ab und melde mich bei Ihnen."

„Den Platz da unten habe ich sowieso reserviert", sage ich. „Das wäre kein Problem."

„Nee, das Problem ist wohl eher Schulte", grummelt er leise vor sich hin. Als wir nach zwei Tagen immer noch nichts von ihm gehört haben, sage ich Meike, sie solle mal dort anrufen.

„Der war ganz komisch am Telefon", berichtet sie, „der größere Kran wäre kaputt und der andere woanders im Einsatz. Und überhaupt war er echt unfreundlich. Als ich ihn fragte, ob er es denn schaffen könnte, den Kran bis zu unserem Einsatz reparieren zu lassen, meinte er nur, er mache jetzt gar nichts mehr für Schulte." Das hört sich gar nicht gut an, wo Dieter doch angeblich jahrelang damit zusammenarbeitet. Ich rufe erstmal Dieter an und berichte ihm davon.

„Jörg", sagt er, „da müssen wir uns jemand anderen suchen. Kennst du denn keinen bei euch in der Gegend?" Ich kenne auf Anhieb drei große Unternehmen bei uns in der Gegend.

„Ja, dann ruf doch mal da an, vergleich die Preise und bestell einen", meint Dieter.

„Ich kann dir die Nummern raussuchen", sage ich, „aber anrufen und bestellen mach du mal." Der fängt an, mir auf den Keks zu gehen, denke ich. Weil er angeblich im Stress ist, soll ich einen Kran bestellen? Und hinterher heißt es dann, wer bestellt, muss auch zahlen, was? Ne ne, so nicht. In den nächsten Tagen wird weiter geplant und vorbereitet. Natürlich sind wir alle total aufgeregt. Wir fiebern alle dem Tag entgegen. Dieter hat sich noch Beleuchtung gewünscht für die Abendstunden. Ich rufe meinen Kumpel Dieter an, der macht Veranstaltungstechnik. Für ihn kein Problem, er stellt mir alles zur Verfügung. Da er aber einen Auftrag im Ausland hat, muss ich alles selbst installieren. Das ist für mich wiederum kein Problem. Dann hat sich Dieter gewünscht, dass ich noch sechs Helfer stelle. Zusätzlich zu seinem Aufbauteam. Dann werde ich mich mal umhören, wer Lust und Zeit hat, uns zu helfen. Zu unserer Planung gehört, dass wir die ganze Sache geheim halten. Ich habe die Zusage, dass ich die Baugenehmigung am nächsten Freitag erhalte. Da ab Mittag beim Gericht niemand mehr zu erreichen ist, beschließen wir, um Punkt 12 anzufangen. Falls, aber nur falls dann die Nachbarn einschreiten wollen und der Anwalt einen Baustopp erwirken möchte, kann er das frühestens am Montag machen. Dann steht das Haus laut Dieter aber schon. Wir gehen natürlich davon aus, dass jetzt alles klar geht, aber wer weiß. Wir dürfen also nichts vor 12 machen, zum Beispiel die Straße absperren, um nicht auffällig zu werden. Nicht, dass die Bauers Verdacht schöpfen.

292 Tage nach dem Brand

Heute ist der große Tag. Ich beruhige nur ständig die Familie, sie sollen doch nicht so aufgeregt sein. Dabei bin ich selbst wahnsinnig aufgeregt. Erstmal frühstücken wir in Ruhe. Also relativer Ruhe. Wir besprechen, wie es weitergeht. Sascha hat unsere Mitarbeiter für 12 Uhr bestellt und auch ihnen gesagt, dass sie weder vorher irgendjemanden was sagen sollen, noch dass sie vorher an der Baustelle auftauchen sollen. Mit Dieter ist abgesprochen, dass der Kran erst ab 12 Uhr aufgebaut werden darf und dass auch der

Aufbautrupp erst um 12 antanzen soll. Sascha und Danny fahren jetzt nach dem Frühstück schon mal zur Baustelle und stellen heimlich ihre Autos an den Straßenrand, damit wir dann absperren können. Werner parkt auch „zufällig" vor der Tür. Meike hat irgendwas mit Essen organisiert. Obwohl ich grundsätzlich immer großen Wert auf die Verpflegung lege, interessiert mich das jetzt überhaupt nicht und ich vertraue ihr, dass keiner verhungert. Ich hole jetzt die Baugenehmigung ab. Meike will unbedingt dabei sein. Um 11 haben wir den Termin. Wir sitzen bereits 20 Minuten vorher vorm Büro von Herrn Ockel. Hoffentlich klappt jetzt alles. Und tatsächlich, kurz darauf geht die Tür auf, wir werden hereingebeten und bekommen nun unsere langersehnte Baugenehmigung. Nach einigen Erklärungen dazu frage ich nach.

„Ab wann gilt die jetzt?"

„Die gilt ab sofort", sagt Herr Ockel, „aber ich würde vier Wochen warten. Ihre Nachbarn bekommen die jetzt auch zugestellt und vielleicht haben die ja jetzt noch was zu bemängeln."

„Das werden wir nicht machen", antworte ich, „wir fangen jetzt an."

„Wann?"

„Jetzt!" Auf dem Weg aus dem Rathaus könnte ich

schreien vor Freude und auch Meike ist total happy und sagt:

„Wir fahren jetzt ganz schnell zur Baustelle Schatz, aber erst muss ich mir eine rauchen. Ich bin so aufgeregt, ich brauche das jetzt." Die Frage, ob alles geklappt hat, stellen uns Sascha und Danny gar nicht erst, als sie wartend auf uns zukommen. Zum einen grinsen wir beide wie Honigkuchenpferde, zum anderen wedelt Meike mit dem Baustellenschild. Sie lässt es sich nicht nehmen, es selbst anzubringen. Dabei kommt Werner aus seinem Haus gestürmt, er sieht die Genehmigung und freut sich wer weiß wie. Erst nimmt er Meike in den Arm, dann klatscht er uns ab.

„Nä, was freu ich mich", sagt er.

„Und wir erst", antworte ich. Sascha berichtet mir, dass der doofe Aufbautrupp im LKW schon um 9 Uhr vorgefahren ist. Er ist aber schnell dahin gelaufen, hat sie weggeschickt in die Stadt, sie sollen irgendwo einen Kaffee trinken gehen. Jetzt ruft er sie an, sie können zurückkommen. Es trudeln unsere Mitarbeiter und Freunde ein, die helfen wollen. Sascha und Danny sperren die Straße ab. Und da kommt auch pünktlich ein riesiger 60 Tonnen Kran die Straße runter. Das läuft ja wie am Schnürchen. Er parkt auf dem

Parkplatz und sucht sich eine gute Position. Jetzt fängt er an, den Kran zu entfalten und auf Stützen auszubalancieren. Wir müssen jetzt schnell das Häuschen, welches als Eingang und als Regenschutz über dem Treppenabgang steht abbauen. Schon gestern habe ich heimlich die Verankerungsschrauben gelöst und die Beleuchtung und Verkabelung abgebaut. Ruck zuck ist es demontiert und wird am Rande des Grundstückes auseinander genommen. Nach 20 Minuten ist der Kran fertig ausgerichtet. Fehlen nur noch die LKW mit den Hausteilen. Ich ruf mal eben Dieter an und frage nach. Sind unterwegs, erfahre ich und kurz darauf kommt auch schon der erste. Er parkt ein, wird von meinen Mitarbeitern aufgemacht, die Hebeseile werden durch die Schlaufen gezogen und da schwebt die erste Wand über die Straße. Inzwischen haben sich Zuschauer eingefunden, die das Spektakel ansehen und fotografieren. Auch wir tun das, fotografieren und filmen. Und sind einfach Happy. Bei einem Blick über die Straße sehe ich, wie sich Frau Bauer einen Weg durch die Zuschauer auf dem Bürgersteig bahnt. Boa, zieht die ein Gesicht. Das wird ihr aber gar nicht passen. Mir tut es meiner guten Laune aber keinen Abbruch.

Teil für Teil wird nun abgeladen, über die Straße geschwenkt und dann nach Plan hingestellt, wo wir es genau ausrichten und mit riesigen Schrauben und Schlagschraubern verschrauben. Nach einer Weile sprechen mich die Arbeiter an, sie sind genervt von so einem Typ, der die ganze Zeit am Fotografieren ist. Er fotografiert aber nicht den Kran, sondern die Arbeiter. Ich sehe zu dem Typ herüber und erkenne, dass es der Sohn der Familie Bauer ist. Ich geh rüber und sage, er soll sofort seine beschissene Kamera wegstecken. Aber er weigert sich natürlich, knipst weiter und möppert rum, wir dürften das nicht, es bestehe ein Baustopp und so weiter. Kurz überlege ich, ihm einfach eine zu knallen, damit er endlich mal sein Schandmaul hält und zurück nach Mutti in die Wohnung geht. Unseren Disput haben fast alle mitbekommen. Eine Nachbarin sieht die drohende Eskalation und ruft hoch oben aus dem Fenster:

„Nein Jogi, schlag ihn nicht." Dagegen ruft ein anderer Nachbar laut:

„Hau ihm endlich was auf die Schnauze, ich dreh mich um, ich hab nichts gesehen." Einige lachen, ich besinne mich und belasse es bei einem nochmaligen Anschreien, er solle jetzt endlich abhauen. Vernunft und gute Laune behalten zum Glück die Oberhand bei mir. Obwohl .... Nein, das machen wir nicht. Weiter geht's, es ist ein emsiges Treiben. Zwischendurch laute Kommandos zum Kranführer, Zurufe und das Rattern des Schlagschraubers. Alle haben Spaß bei der Sache. Außer einem. Ein kleiner Mann rennt die ganze Zeit schon mit hochrotem Kopf und bösem Blick die Straße auf und ab. Plötzlich ertönt die Stimme des Kranfahrers über Megafon aus seiner Kabine.

„Ey, was ist das für ein Krawattenheini? Der macht mich nervös. Der wuselt hier die ganze Zeit rum und fotografiert mich im Kran und auch alle anderen Arbeiter. Was soll das?" Eigentlich war ich gemeint, aber alle haben es mitgehört. Der Mann auch? Ich nehme das Funkgerät und erkläre dem Kranfahrer, dass es sich um den Anwalt unserer Nachbarn handelt. Er läuft wirklich noch immer die Straße hoch und runter und telefoniert sich einen ab. Wahrscheinlich will er bei der Stadt nachfragen, ob wir eine Baugenehmigung haben. Braucht er nur in die Einfahrt gucken. Dort hat Meike die gut sichtbar aufgehängt. So nah will er aber bestimmt nicht kommen. Vielleicht versucht er auch, jemanden bei Gericht zu erreichen? Freitagsnachmittags wohl eher nicht. So war der Plan! Also wird hier schön weiter gemacht. Zwischendurch machen wir abwechselnd Pause und ziehen uns in das schon fertige Haus, unser Gartenhaus, unsere Kommandozentrale, zurück. Da ist vielleicht 'ne gute Stimmung. Die Frauen feiern, mehrere haben Sekt mitgebracht und nun kreisen die Flaschen. Wenn das mal kein Grund zum Feiern ist. Plötzlich kommt jemand durch den Baustellenschlamm die Treppe hochgestiefelt, zu uns ins Gartenhaus. Es ist eine Bekannte. Sie reißt die Tür auf und nimmt mich und dann Meike erstmal in den Arm. Sie hat feuchte Augen und sagt, dass sie sich so sehr freut, dass wir jetzt endlich unser Haus aufbauen können und wieder ein Heim haben. Ich kenne sie unter anderem daher, dass ich ihr vor Jahren ihr neu erworbenes Haus nach Feierabend ein halbes Jahr renoviert habe. Kurz nach dem Brand hatte sie schon einmal einen Brief an mich geschrieben und uns Mut gemacht. Vorbeizukommen oder anzurufen hat sie sich nicht getraut. Aber als sie jetzt vorbeikam und gesehen hat, was los ist, konnte sie nicht anders und musste uns mal eben gratulieren. Kurz darauf kommt der nächste Bekannte in das an sich schon überfüllte Gartenhaus. Es ist Fred, welcher eigentlich mit richtigem Namen Stefan heißt. Er war zuletzt bei der großen Kelleraktion dabei, danach haben wir nichts mehr von ihm gehört. Er kommt und gratuliert uns, dass es jetzt endlich klappt und wir bald wieder ein richtiges Zuhause haben. Er freut sich mit uns. Leider hat er nach einer Weile eine traurige Nachricht für uns. Er erzählt, dass man bei einer Untersuchung bei ihm Speiseröhrenkrebs festgestellt habe. Er könne jetzt erstmal nicht bei uns helfen, er müsse Medikamente nehmen, welche ihn schwächen würden und bald sicherlich auch eine Chemotherapie bekommen. Wir nehmen Fred beide in den Arm und man versucht, etwas aufmunterndes zu sagen. Aber was will man da schon sagen? Trotz aller Widrigkeiten, die wir im letzten Jahr hatten, sind wir alle gesund und das lässt uns dankbar werden. Ich lasse Fred mit den Frauen erstmal wieder allein und kümmere mich um die Beleuchtung, gleich wird es dunkel und wir wollen ja noch weiter machen. Ich habe die Genehmigung bis 22 Uhr. Auch für Morgen, am Samstag. Sonntag hätte ich auch gerne weitergemacht, da aber der Sonntag auch gleichzeitig noch Totensonntag ist, habe ich dafür keine Ausnahmegenehmigung erhalten. Es wird weiter fleißig gearbeitet und es stehen schon fast alle Wände.

Da werde ich nach vorne zum Bürgersteig gerufen. Die Polizei ist da! Ein Polizist und seine Kollegin stehen zusammen mit dem hyperventilierenden Nachbarssohn und warten auf mich.

„Da ist er, das ist Herr Ring", schreit Olaf, der missratene Sohn unserer Nachbarn, auch sofort los.

„Der darf das nicht, wir wollen das nicht, wir haben nämlich einen Baustopp gemacht". Seine Stimme überschlägt sich.

„Jetzt seien Sie mal ruhig", sagt der Polizist barsch zu

ihm.

„Wir kennen Herrn Ring, den brauchen Sie uns nicht zu zeigen und um aufzuklären, ob eine Baugenehmigung vorliegt, sind wir ja hier."

„Guten Abend Herr Ring, Ihr Nachbar hat uns gerufen, weil er meint, Sie bauen hier illegal."

„Guten Abend zusammen, das ist Quatsch", entgegne ich.

„Wir haben eine offizielle Baugenehmigung."

„Das stimmt nicht, das stimmt nicht", brüllt Wüterich Olaf dazwischen, „die ham hier 'n Baustopp!"

„Jetzt halten Sie aber mal den Mund und lassen uns unsere Arbeit hier machen", sagt nun auch die Polizistin zu Olaf.

„Können Sie uns mal die Genehmigung zeigen?" fragt der Kollege mich.

„Na klar", sage ich, „die hängt da. Die muss man doch auch öffentlich aushängen, da hätte unser Nachbarssohn ja nur draufgucken müssen. Außerdem ist die Baugenehmigung den Nachbarn heute Mittag zugestellt worden. Sie müssten dann mal ihre Post lesen. Stattdessen brüllt er hier rum, fotografiert die Leute bei der Arbeit, macht sie nervös und holt zu guter Letzt Sie hierhin."

„Ich darf fotografieren, so viel wie ich will und die Baugenehmigung ist nicht richtig, hier ist doch ein Baustopp. Den haben wir doch extra beantragt", ereifert sich Olaf. Er scheint es nicht zu begreifen. Jetzt wird es dem Polizisten zu bunt.

„Sie gehen mal jetzt sofort zu sich in die Wohnung und lassen mich mal die Genehmigung lesen. Ich komme dann gleich zu Ihnen." Olaf trabt ab und der Polizist liest sich alles durch. Ich erkläre, dass ich die Genehmigung heute Mittag erhalten habe und dass damit der Baustopp natürlich aufgehoben sei.

„Das dachte ich mir, dass Sie hier nicht illegal anfangen", sagt der Polizist zu mir.

„Ich habe mir alles durchgelesen und natürlich dürfen Sie jetzt weitermachen. Ich wünsche Ihnen alles Gute und ein gutes Gelingen beim Weiterbau. Ich gehe jetzt rüber und versuche, den jungen Mann zu beruhigen." Nach einer geschlagenen dreiviertel Stunde kommen die Polizisten aus dem Haus von Bauers.

„Das war nicht einfach, der dreht vollkommen am Rad", sagt der Polizist, schüttelt den Kopf und weg sind sie. Na gut, dann können wir ja jetzt hoffentlich ohne größere Zwischenfälle weitermachen. Das tun wir auch. Unter Flutlicht wird bis kurz nach 22 Uhr geackert. Die Wände vom Erdgeschoß stehen! Wir haben echt viel geschafft. Ich verabschiede die Arbeiter, die Helfer und unsere Freunde und Bekannten.

Ich habe beschlossen, im Gartenhaus zu übernachten. Es ist alles offen im neuen Haus, Werkzeug liegt rum und der Kran und zwei Sattelschlepper stehen auf dem Parkplatz. Außerdem liegen schon an die Seite gelegte, riesige Balken auf dem Platz. Nicht, dass irgendjemand mit langen Fingern oder mit einer Spraydose vorbeikommt. Ich lasse absichtlich einige Lampen im Haus an, dann ziehe ich mich allein ins Gartenhaus zurück. Von dort oben hab ich einen guten Überblick auf das Haus. Seitdem das alte Haus abgerissen worden ist, sogar einen Panoramablick über ganz Gevelsberg. Eigentlich auch sehr schön. Aber das ist ja jetzt bald vorbei.

293 Tage nach dem Brand

geht es um 6 Uhr weiter. Für uns. Der Bautrupp kommt um 8 Uhr. Als erstes werden die Deckenbalken gesetzt. Das ist eigentlich ganz einfach, aber nicht so für den Aufbautrupp. Jedes Teil von den gefühlten 100.000 Stück ist minutiös nummeriert. Dann gibt es eine Zeichnungsmappe. Darin wird mit großen Explosionszeichnungen erläutert, wo die Teile hinkommen. Zwischendurch kommt Otto zu mir.

„Jogi", meint er, „das sind mir hier zu viele Leute auf der Baustelle. Jeder fragt mich irgendwas. Ich krieg hier zu viel. Ich werde nervös."

„Das war aber doch der ausdrückliche Wunsch von Dieter", antworte ich. „Sollen meine Arbeiter und ich uns zurückziehen?" frage ich.

„Nein, bloß nicht", antwortet Otto, „dann klappt das ja gar nicht mehr, ich weiß auch nicht."

„Pass auf Otto, wir machen das so. Du kümmerst dich um deine Truppe und ich um meine Truppe. Ich sage meinen Leuten, dass sie nur mich fragen sollen. Und wir beide sprechen uns ab, wie es weitergeht. Ok? Sollen wir es so machen?" sag ich. Dem stimmt er zu. Für ihn ist es das erste dreigeschossige Haus. Von mir sind inzwischen acht Mann dabei. Zu den Arbeitern haben sich noch mein Sohn Klaus und mein Bruder Horst gesellt. Ohne unsere Mithilfe würde es gar nicht gehen. Ich bin so frei und Dank meiner eigenen Arroganz übernehme ich dann mal die Gesamtorganisation. Ich kümmere mich um Werkzeug, wenn es gebraucht wird, verteile Handschuhe und Helme für meine Leute. Ich habe echt kein Bock darauf, dass die Berufsgenossenschaft hier vorbei kommt und was zu möppern hat und wohlmöglich die Baustelle lahmlegt.

195

Sascha hat sich das Zeichnungsbuch geholt, er studiert es und gibt die Infos an Danny weiter. Der koordiniert unsere Helfer und sagt über Funk den Mitarbeitern von uns, die auf dem Parkplatz die LKW abladen, was als nächstes gebraucht wird. Ein Mitarbeiter von uns ist nur ständig auf dem LKW am Abladen, das heißt, er hängt die Ketten oder Tragegurte in die Teile ein. Ich turne zwischendurch auf dem jetzt aufgebautem Gerüst bis in die Spitze. 10 m sind ganz schön hoch ... und wackelig ... Jetzt geht es darum, auf die Deckenbalken des Erdgeschosses den Holzboden zu verlegen. Und wieder sagt Sascha, was gebraucht wird und Danny gibt es weiter und sorgt für das Auflegen mit dem Kran. Vier Mitarbeiter von mir tragen die Pakete an die richtigen Stellen. Zunächst vorsichtig über die Balken tragend, dann haben wir die ersten Flächen fertig und es wird einfacher. Wir hämmern mit drei Hämmern und zwei Nagelschussgeräten. Otto schüttelt den Kopf. So schnell hat er das auch noch nicht gesehen. Als der Boden fertig ist, wird eine Folie ausgebreitet und festgetackert. Auch über das „Loch" des Treppenhauses. Ich überlege zuerst, es aufzuschneiden, um das Loch sichtbar zu machen, doch Otto meint, dass es mir dann ja bis runter in den Keller reinregnen würde. Also schlage ich vor ein Geländer zu installieren.

„Nee, das ist uns nur im Weg", sagt Otto.

„Nicht, das da einer reinfällt", gebe ich zu bedenken.

„Ach watt, wir passen auf, ist doch schließlich nicht die erste Baustelle hier", lehnt er ab. Daraufhin beschließe ich, wenigstens Dachlatten rings um das Loch zu legen, um es besser unter der Folie zu erkennen. Ich sage noch mal allen meinen Helfern Bescheid und warne sie. Ich bin halt so ein bisschen auf Sicherheit. Plötzlich fällt mir ein, wie es damals war, als wir uns das Haus gekauft hatten. Damals hatte ich einen befreundeten Dachdecker gebeten, sich das Dach von meinem neuerworbenen Haus anzusehen und zu begutachten. Er wollte sofort aus dem Dachfenster krabbeln. Ich hab ihn zurückgehalten und wollte ihm ein Seil zur Sicherung umlegen.

„Quatsch", hat er damals gesagt, „ich hab das schon zigmal so gemacht."

„Aber nicht bei mir", hab ich damals gesagt und darauf bestanden, dass ich ihn absichere. Drei Wochen später habe ich in der Zeitung gelesen, dass im Nachbarort ein Dachdecker abgestürzt sei und sich schwer verletzt hätte. Später habe ich dann erfahren, dass es mein Bekannter war.

Wir machen emsig weiter und stellen Wand für Wand bei Sascha in der ersten Etage auf. Plötzlich ein

197

Aufschrei. Die Arbeiter und Sascha laufen zu der Stelle, wo der Treppenhausschacht ist. Tatsächlich hat ein Arbeiter vom Aufbauteam nicht aufgepasst. Er ist auf die Folie über dem Schacht getreten. Mit den Beinen hat er die zum Glück sehr stabile Plane durchstoßen und hängt schwebend über dem Schacht. Es sieht makabererweise aus, als hätte er eine große Pampers um. Sofort wird er rausgezogen, aus seiner misslichen Lage. Nicht nur er ist blass, wir sind alle geschockt. Nicht auszudenken, wenn die Plane nicht gehalten hätte und er aus acht Metern Höhe auf die Betonkellertreppe gefallen wäre. Ich glaube nicht, dass er das überlebt hätte. Krankenwagen, Polizei, Leichenwagen, Berufsgenossenschaft ... ein Verletzter, eventuell ein Toter, schießen mir die Gedanken durch den Kopf. Baustelle wird stillgelegt, Gewerbeaufsichtsamt untersucht, es werden Schuldige gesucht .... Stop jetzt, ist ja noch mal gut gegangen. Gott sei Dank, im wahrsten Sinne des Wortes. Ich geh nun sofort daran, ein Geländer zu bauen. Otto ist zwar nicht begeistert von der Idee, aber der kann mich jetzt diesbezüglich mal am ... Kopf kratzen.

Nach einer kleinen Verschnauf- und Kaffeepause geht es weiter und es entsteht Saschas und Steffis Wohnung. Nachdem die ersten Außenwände stehen, feiert Sascha „Einweihung". Einige seiner Kumpel sind erschienen und erklimmen über das Gerüst seine Etage. Die Frauen haben Sekt mitgebracht und man stößt erstmal kurz an. Meike ist nicht hierhin zu bewegen. Das ist ihr alles zu wackelig, da hat sie Angst. Nach einer Weile löse ich die kleine Party auf. So, genug gefeiert, weitermachen. Ich fungiere als Spaßbremse, aber letztlich möchten wir ja alle so schnell wie möglich fertig werden.

294 Tage nach dem Brand

bin ich schon früh zur Baustelle gefahren. Es ist zwar Sonntag, sogar Totensonntag, aber der Sonntag gilt bei mir schon lange nicht mehr als arbeitsfrei. Eines Tages werde auch ich mal wieder ein Wochenende haben. Im Moment würde ich eher bekloppt, wenn ich nichts täte.

Nehme ich ansonsten Rücksicht auf Nachbarn und Passanten, geht das heute nicht. Ich möchte, zunächst provisorisch, eine Haustür einbauen, bis die richtige eingesetzt wird. Schließlich ist alles offen bis hinunter zum Keller, welcher von mir schon fast fertig eingerichtet ist. Da möchte ich keinen nächtlichen Besuch bekommen. Ich baue zuerst einen Rahmen, schließe dann die Seitenflächen und baue zuletzt unsere, schon vorher benutzte Baustellentür ein. Es kommen Leute vorbei, wohl aus der benachbarten

Kirche. Einige grüßen, zwei kommen auf meine Straßenseite und fragen, wie es weitergeht und wünschen ein gutes Gelingen. Ein paar wenige gehen stur vorbei. Ich denke, dass sie kein Verständnis haben, dass man am heiligen Sonntag arbeitet. Egal, kann ich mit leben. Hauptsache das Haus ist nicht mehr für jeden betretbar. Am späten Nachmittag ist alles geschafft.

Am nächsten Morgen geht es endlich weiter mit dem aufstellen. Früh um 6 Uhr geht es los, vorbereiten, aufräumen, Werkzeug sortieren. Um 8 Uhr kommen die anderen und es geht mit frischem Elan weiter. Bis ....

... ja bis Leute auftauchen, die ich jetzt gar nicht sehen will. Es ist der Leiter des Bauamtes, sein Kollege Hurew und eine junge Kollegin. Die werden wohl irgendwas zu meckern haben, aber muss man deshalb gleich so ernst gucken? Ich kriege mit, dass alle gemeinsam die Treppen zum Gartenhaus hinaufgehen und Meike ansprechen. Die mich dann auch sofort ruft.

„Das darf nicht wahr sein", höre ich sie rufen, als ich oben ankomme. Sie hat mal wieder Tränen in den Augen.

„Was ist los?" herrsche ich die Truppe an. Herr Ockel übernimmt das Wort.

„Herr Ring, regen Sie sich nicht auf, aber wir müssen

Ihnen ein Baustopp aussprechen."

„Wieso?" schreie ich ihn an. Er tritt sicherheitshalber einen Schritt zurück. Es fällt auch ihm sichtlich schwer, mir so etwas zu überbringen. Sein Begleiter hält sich zurück. Die junge Dame schaut betreten zu Boden.

„Beruhigen Sie sich", sagt er zaghaft.

„Beruhigen? Ich habe einen Baustopp hinter mir. Ich habe einen komplett neuen Bauantrag gestellt. Letzten Endes auf Ihr Anraten. Ich habe etliche Wochen gewartet, damit ich endlich mein Haus bauen kann und jetzt kommen Sie daher und sprechen schon wieder einen Baustopp aus und sagen ich soll mich beruhigen?"

„Dieser Baustopp kommt nicht von uns. Wir sind nur per Fax vom Landgericht in Arnsberg gebeten worden, den Baustopp unverzüglich persönlich auszusprechen. Sie kriegen ihn dann noch in Schriftform zugestellt."

„Da scheiß ich drauf!" entfährt es mir.

„Beruhigen Sie sich und halten Sie sich an den Baustopp, sonst sind wir gezwungen, die Maßnahmen behördlich durchzusetzen!" Ich geh ein wenig hin und her, und werde tatsächlich ruhiger.

„Ok, ich höre auf zu bauen, aber eins sage ich Ihnen.

Wenn das Haus, so halbfertig wie es ist, zusammenstürzt, werde ich Sie verklagen. Und wenn es kaputt geht, stelle ich Ihnen das auch in Rechnung. Ich werde die Stadt verklagen!" Mir reicht es nun wirklich. Ich hab keine Lust mehr, auf Schmusekurs mit der Stadt zu gehen. Was eigentlich als Drohung und letzter verzweifelter Wutausbruch von mir kam, scheint aus irgendeinem Grunde Wirkung bei den Leuten vom Bauamt zu zeigen. Eigentlich hatte ich mit einer Gegendrohung gerechnet, sehe aber, dass Herr Ockel nachdenklich wirkt.

„Wie meinen Sie das?" fragt er mich.

„Wenn ich jetzt aufhöre, wird alles nass. Das ganze Haus, das ganze Holz feucht und letzten Endes faul. Dann kann ich das bisher erbaute, abreißen und entsorgen. Zum anderen weiß ich gar nicht, wie stabil das Haus jetzt in diesem Zustand ist." Ich rede mich in Rage, Aber scheinbar ist es nicht ganz vergeblich.

„Sie meinen, es wäre instabil?"

„Ja klar", sage ich einfach, „aber wir können ja auch den Zimmermann dazu holen." Den rufe ich jetzt auch. Inzwischen haben sowieso alle aufgehört zu arbeiten. Er kommt herbei. Herr Ockel klärt ihn auf und fragt ihn nach seiner Meinung dazu. Zum Glück gibt er mir spontan Recht und erklärt:

„Das ist richtig, was Herr Ring sagt. Es ist natürlich im Prinzip eine Fachwerkkonstruktion, welche erst die statische Stabilität bekommt, wenn das ganze Haus steht!" Einen Moment herrscht Schweigen. Die junge Dame traut sich, mir das Blatt mit der Verfügung hinzuhalten. Ich solle unterschreiben, dass ich den Baustopp zur Kenntnis genommen habe.

„Ok", sagt Herr Ockel, „geben Sie mir das schriftlich, dann will ich sehen, was ich machen kann." Es ist Mittag. Die drei verlassen das Grundstück. Ich sage meinen Kindern und Mitarbeitern, dass sie aufhören müssen. Ich sage nur, dass wir wieder einen Baustopp haben. Ich halte mich nicht länger mit Erklärungen auf und sage dem Kranfahrer Bescheid, dass er den Kran abbauen kann. Heute passiert mit Sicherheit nichts mehr. Heute Abend wäre der Kran sowieso abgebaut worden. Herr Schulte hat sich ein wenig verschätzt mit der Dauer des Aufbaus. Für morgen ist deshalb ein Kran von einem anderen Unternehmen gebucht worden.

Rasch fahre ich nun mit Otto in unsere Übergangswohnung. Dort soll er seine Angaben bezüglich der Statik aufschreiben. Zurück lassen wir verdutzte Arbeiter und die bösen Nachbarn. Die sollen sich wohl freuen, wenn sie sehen, wie der Kran abgebaut wird, nachdem die Leute vom Bauamt da waren. Das haben die hundertprozentig mitgekriegt. Nachdem ich Ottos Aussagen aufgeschrieben habe, lasse ich ihn unterschreiben und faxe das ganze zum Bauamt. Dann rufe ich unseren Architekten an. Ich bitte ihn, auch einmal seine Meinung bezüglich der Statik des Hauses im momentanen Aufbauzustand schriftlich, per Fax, dem Bauamt mitzuteilen. Dann rufe ich unseren Anwalt an. Was waren seine letzten Worte noch?

„Zweimal hintereinander bekommt man keinen Baustopp für dasselbe Objekt. Vor allem nicht, wenn Sie einen neuen Bauantrag stellen. Das hab ich noch nie erlebt!" Dann will ich mal hören, was er jetzt dazu sagt. Nämlich gar nichts. Unser Anwalt ist auf einem Kongress in München. Einige Stunden später ruft Herr Ockel an und erklärt, dass wir zunächst weiterbauen dürfen. Für Morgen schlägt er ein Treffen mit dem Zimmermann, dem Architekten, meiner Frau, mir und seinem Kollegen vor. Dabei will Herr Ockel uns alles Nähere erklären.

296 Tage nach dem Brand

Um neun ist der Termin bei uns auf der Baustelle. Natürlich wollen Sascha und Danny auch dabei sein. Wir sind alle schon um 7 Uhr da und bekommen mit, wie ein neuer Kran aufgebaut wird. Trotz der wirklich beschissenen Situation muss ich schmunzeln bei dem Gedanken, was die Nachbarn jetzt wohl denken. Gestern Nachmittag haben sie sich bestimmt die Hände gerieben vor Freude und jetzt? Um kurz vor Neun trudeln alle bei uns ein. Der erste Besuch bei uns im „Wohnzimmer" ....

„Tja, da haben wir nun eine ganz böse Situation", beginnt Herr Ockel. „Die Nachbarn haben tatsächlich einen erneuten Baustopp gefordert. Man hat das Verwaltungsgericht unterrichtet, dass wieder gebaut wird und dass man versucht, hier schnell fertig zu bauen, um Tatsachen zu schaffen."

„Na klar bauen wir schnell und wollen auch Tatsachen schaffen, ist doch logisch. Wir mussten ja jetzt lange genug warten wegen dem ersten Baustopp, klar dass wir jetzt Gas geben, wir haben doch schließlich eine neue Baugenehmigung", platzt es sofort aus mir raus.

„Die wird aber vom Anwalt der Nachbarn angefochten", antwortet Herr Ockel.

„Ach, und da ruft man mal eben beim Richter an, den man bestimmt persönlich kennt und der reagiert innerhalb von einer halben Stunde? Ist das so üblich?" frage ich. Ich erhalte natürlich keine Antwort. Es werden mir lediglich böse Blicke wegen meinem

Einwand zugeworfen. Unser Architekt fragt nun nach den tatsächlichen Grund des Baustopps. Herr Ockel druckst herum, windet sich und erzählt was von Ängsten der Nachbarn, weil das Haus so groß wird und so eine erschlagende Wirkung auf die Nachbarn hätte. Er redet eine ganze Zeit und erwähnt ganz zum Schluss noch, dass man den Bebauungsplan anzweifelt. Nun schaltet sich meine Meike ein.

„Wenn ich das richtig verstehe, ist das doch aber gar nicht unsere Schuld. Für die Einhaltung des Bebauungsplanes sind doch Sie als Baubehörde zuständig. Sie haben doch gesagt, es ist alles in Ordnung mit dem Bebauungsplan." Sehr ruhig sagt sie das zu Herrn Ockel, aber der explodiert.

„Frau Ring, ich verwahre mich davor, dass Sie uns jetzt vorschnell die Schuld zuweisen und ich mache hier auch keine Rechtsberatung. Dafür ist das Baurecht zu kompliziert, das verstehen Sie sowieso nicht", furzt er sehr heftig meine Meike an. Jetzt reicht´s mir.

„Ich glaube, ich spinne", schreie ich nun.

„Sie kommen hierhin und erzählen uns so 'ne Scheiße und meine Frau darf noch nicht mal eine Frage stellen? Das ist unser Haus und wir haben doch sehr wohl das Recht zu erfahren, was los ist. Fahren Sie nicht noch einmal meine Frau so an!" schreie ich ihn nun an.

Einen Moment ist Stille. Tja, der geborene Diplomat bin ich sowieso nicht und im Moment liegen natürlich die Nerven blank. Sascha versucht, mich zu beruhigen. Nachdem Herr Ockel und ich beide sowas wie Entschuldigung genuschelt haben, sagt Sascha:

„Herr Ockel, Sie müssen das verstehen, unsere Familie ist doch nun in einer Situation, in der wir überhaupt nicht wissen, wie und vor allem wann es weitergeht. Wenn jetzt wieder erstmal die Baustelle für Monate lahmgelegt wird."

„Aber Herr Ring", antwortet Herr Ockel zu meinem Sohn, „das dauert keine Monate. Wir sprechen hier von Tagen, höchstens Wochen." Eine Weile wird noch weiter diskutiert, jetzt ruhiger.

„Zunächst können Sie weiter bauen, aber nur das Haus aufstellen. Keine Außenarbeiten, kein Dachdecken und auch keine Innenarbeiten!" Das tun wir nach dem Gespräch dann auch. Die Stimmung ist natürlich gedämpfter als zum Anfang. Den Spaß beim Aufbauen haben sie uns schon mal genommen, das haben sie geschafft. Ein wenig Freude kommt lediglich auf, weil wir mitbekommen, dass Anwalt Schön mit hochrotem Kopf, das Handy am Ohr, laut und heftig ins Handy sprechend die Straße rauf und runterläuft.

„Der bekommt gleich einen Herzkasper", sagen meine

Mitarbeiter. Ja, der soll sich wohl ärgern, dass er ein Baustopp durchgesetzt hat und wir trotzdem schön weiterbauen. Wir schaffen an diesem Tag noch die Decke der ersten Etage und einige Wände der zweiten Etage.

297 Tage nach dem Brand

bauen wir weiter unser Haus auf. Den ganzen Tag über läuft auf der anderen Straßenseite Anwalt Schön hin und her. Er telefoniert und fotografiert ständig. Zwischendurch kommen Mitarbeiter des Bauamtes vorbei und machen Fotos. Mittendrin fragten sie, ob sie aufs Grundstück dürfen und hinterm Haus in den Garten nach oben. Von da aus könnte man es besser sehen. Sie haben erklärt, dass sie im ständigen Kontakt mit dem Gericht sind. Sie müssen mit Fotos belegen, dass lediglich nur noch fertiggebaut wird. Herr Schön würde wohl jede Stunde bei Gericht und bei der Stadt anrufen .... Für das Bauamt wäre das auch keine schöne Situation! Nee, ist klar. Aber für uns etwa? Meike kommt schon gar nicht mehr mit.

Sie bleibt in der Übergangswohnung, sie hält den Druck nicht mehr aus. Wir machen an diesem Tag die zweite Etage fertig und die Decke drauf. Wir errichten den Giebel und zuletzt werden die riesigen

Dachelemente mit dem Kran draufgehoben. Der Rohbau des Hauses ist fertig! Und wir müssen also sofort unsere Tätigkeit beenden. Wir verabschieden uns von den Mitarbeitern und dem Kranführer. Wie es jetzt weiter geht, wollen alle wissen. Das wüsste ich selbst auch gern!

Zunächst rufe ich nun unseren Anwalt an. Seine freundliche Sekretärin erklärt mir erstmal, dass Herr Mischer nun in Berlin sei. Großartig, dass mit dem „sofortigen" Reagieren scheint ja echt gut zu klappen. Also beauftrage ich ihn schriftlich.

301 Tage nach dem Brand

habe ich von der ganzen Situation derartig die Schnauze voll, dass ich bei der Staatsanwaltschaft in Hagen unsere Nachbarn anzeige. Mein Vorwurf lautet Erpressung! Außerdem zeige ich die Tochter von Bauers wegen Meineides an. Ich habe mir diesen Schritt lange überlegt. Es ist nicht etwa Rache, sondern mein gesundes Rechtsempfinden. Wie kann man nur so bewusst lügen und darauf einen Eid schwören? Ich hatte schon nach dem Prozess vor dem Hagener Landgericht überlegt, ob ich die Meineid-Königin von nebenan anzeigen soll. Da wird vor jeder Verhandlung draufhingewiesen, dass es dafür hohe Strafen gibt.

Anwalt Schön und der Bauerstochter war es egal. Ich habe mich schließlich zurückgehalten, da wir den Prozess ja trotzdem gewonnen haben. Und weil ich das nachbarschaftliche Verhältnis nicht noch weiter ver-schlimmern wollte. Aber jetzt? Was soll daran jetzt noch schlimmer werden? Und der „Vergleichsvorschlag" von Bauers? Formuliert und verschriftlicht von einem Anwalt? Das ist doch kein Vergleich. In meinen Augen ist das eine gemeine Erpressung!

Meiner Meinung nach zu vergleichen mit einer Lösegeldforderung bei einer Entführung. Auch in so einem Fall könnte ja der Entführer argumentieren, dass man die Geldsumme ja letztendlich freiwillig zahlt.

Am nächsten Tag starte ich erneut einen Versuch, meinen Anwalt persönlich zu sprechen. Das gelingt mir auch, aber er habe die nächsten fünf Tage keine Zeit für meine Angelegenheit. Es sei so viel liegengeblieben, was jetzt erstmal aufgearbeitet werden müsse. Leider für ihn dringendere Fälle. Ich sehe das natürlich anders und irgendwie ungeduldiger. Also überrasche ich ihn mit meiner Aussage, dass ich das Mandat dann doch an dieser Stelle beenden möchte. Jetzt stehen wir nicht nur blöd da, sondern tun das auch noch ohne Anwalt. Klappt alles nicht soooo....

Am nächsten Vormittag kommt Nachbarin Silke zur Baustelle. Beim Abriss war sie schon bei uns und fragte, ob sie sich ein paar Balken nehmen dürfe. Die seien zwar alle angekokelt, aber das wäre nicht so schlimm. Natürlich durfte sie sich einige nehmen.

„Hallo Jogi, wie siehts aus? Alles gut?"

„Nö, nix ist gut." Ich berichtete ihr von unserer Situation. Sie hört interessiert zu und fragt nur ständig, warum die Nachbarn sich so verhalten würden.

„Habt ihr denen etwas getan? Habt ihr euch gestritten?" fragt sie immer wieder. „Warum machen die das denn? Wer von denen macht das denn?" Auch das konnte ich Ihr nicht beantworten.

„Die sind sich einig und jeder gibt seinen Senf dazu. Der Einzige
von dem man nichts hört, ist Horst Bauer. Es läuft alles über seine herzlose Frau und seine Kinder."

„Ja, aber der Frank ist doch ein ganz netter, mit dem hab ich früher gespielt, ich verstehe das nicht."

„Frank zum Beispiel hat einen Tag nach dem Brand angerufen und mich zusammengeschissen, dass ich mich nicht als erstes um seine Eltern gekümmert habe!" Soviel zum „ach so netten" Frank! Kopfschütteln bei Silke.

„Ich verstehe das nicht", sagt sie.

„Hör mal, wie wäre es, wenn ich mal rüber gehe und mit Frau Bauer spreche? Vielleicht ist alles ein Missverständnis?"

„Das kannste vergessen, das hat keinen Zweck. Das ist auch kein
Missverständnis, die alte Bauer ist gefühlskalt und böse. Da wirst
du nichts erreichen, da kannste eher dem Pabst ein Doppelbett verkaufen, glaubs mir." Doch Silke lässt sich von ihrer Idee nicht abbringen.

„Ich kann mir nicht vorstellen, dass man mit Frau Bauer nicht reden kann", sagt sie und verschwindet. Das ist ja mal nett von Silke, dass sie sich für uns so einsetzen will, aber ... ich glaube, das gibt nix. Eine halbe Stunde später sehe ich, wie Silke bei Bauers rauskommt und bitterlich weint. Ohne zu mir zu kommen, setzt sie sich in ihr Auto. Ein paar Minuten wartet sie, wischt sich die Tränen ab und fährt wortlos weg. Sie tut mir leid, wie sie sich das so zu Herzen nimmt.

Nun switche ich bei unserer Strategie um. Bisher haben wir auf einen Anwalt gesetzt, welcher das Thema Baurecht als Schwerpunkt hat. Was hat es gebracht? Außer Geldverlust nicht viel. Wir überlegen nun, einen Anwalt aus der Nachbarschaft zu nehmen. Sein Schwerpunkt ist beruflich das Familien- und Strafrecht. Wir kennen ihn, ich duze mich mit ihm, er hat Interesse und kommt auf dem Weg zu seiner Kanzlei direkt an unserer Übergangsbehausung vorbei. So bietet er an, uns schon morgen aufzusuchen. Am nächsten Nachmittag kommt Herr Oberhof zu uns und lässt sich von uns den Fall erklären. Einiges hat er ja schon mitbekommen als Fast-Nachbar, welcher 200 m von unserem Haus wohnt. Er nimmt sich zahlreiche, von mir zusammengestellte und bebilderte Unterlagen mit und verspricht, sich zu melden, sobald er sich reingearbeitet hat.

314 Tage nach dem Brand

Es ist ein Samstag und wir sitzen beim gemeinschaftlichen Frühstück, als uns die Kinder mitteilen, dass sie eine Überraschung für uns haben.

„Wir haben uns überlegt, um die deprimierte Allgemeinstimmung etwas aufzuheitern, eine Weihnachtsfeier zu veranstalten", teilen sie uns mit. Ich bin überrascht und will weiter interessiert zuhören.

„Wo? Hier?" fragt Meike sofort. „Hier will ich das nicht. Ich fühle mich selbst hier so unwohl, es ist eng und wir haben keinen Platz. Ich hab auch keine Lust, hier aufzuräumen und alles umzuräumen. Und überhaupt ist mir auch gar nicht danach."

„Jetzt lass die Kinder doch erst mal erzählen", schalte ich mich ein. Daraufhin erklärt Danny, dass die Baustelle aufgeräumt bzw. der große Raum im Erdgeschoß, welcher einmal unser Wohn-, Ess- und Küchenbereich werden soll, ausgeräumt sei. Man habe Bierzeltgarnituren und andere Sitzgelegenheiten aufgebaut.

„Wir haben bereits einige Bekannte eingeladen", erklärt Sascha.

„Es werden auch einige Kumpels von mir kommen, die spielen in einer Band. Vielleicht machen die sogar ein wenig Musik." Die Kinder sind begeistert von ihrem Plan. Auch ich fange an, mich zu freuen. Bei mir braucht es sowieso nicht solange, mich zu einer Feier zu überreden, selbst im Moment nicht. Wer schweigt, ist Meike.

„Wir haben uns überlegt, dass wir um 17 Uhr am neuen Haus sind. Es muss ja noch einiges vorbereitet werden."

Und wieder mal bin ich froh, dass wir mit den Kindern zusammen unter einem Dach leben. Diese Feier haben sie nicht nur für sich selbst geplant, sondern wollen uns und vor allem meine Meike ein wenig aufheitern.

Als wir später allein im Zimmer sind, sag ich das auch zu ihr.

„Hmmm", macht sie nur. Ich denk mir, das wird schon. Um 16 Uhr 30 sag ich zu ihr, dass wir uns jetzt fertig machen müssen. Bei mir dauert das ja nur zwei Minuten, aber die Frauen ....

„Ich muss erst noch mit Lotta (unserem Hund) gehen", sagt Meike. Ich denke noch, dass sie das ja auch gleich am neuen Haus zwischendurch machen kann. Aber ich sage nichts und lasse sie erst mal gehen. Als sie nach einer Viertelstunde wiederkommt, sagt sie nur kurz, dass sie nicht mitgehen will.

„Ach komm", sage ich, „das kannst du doch nicht machen. Die Kinder freuen sich drauf. Sie haben sich bis jetzt schon so viel Mühe gemacht."

„Nein, wenn ich sage nein, dann meine ich auch nein," sagt sie mit Tränen in den Augen zu mir.

„Es wird bestimmt schön. Und für dich ist es auch gut, mal hier raus zu kommen und es wird dich ein wenig ablenken. Denk doch ein wenig an die Kinder und tu es doch für mich." Daraufhin dreht sich Meike zu mir um. Ich sehe, dass sie nun heftig am Weinen ist und will sie in den Arm nehmen.

„Kapierst du es nicht?" schreit sie nun und stößt mich

weg. „Ich komme nicht mit, ihr könnt ja alleine feiern, ich werde dieses verfluchte Scheißhaus nie wieder betreten." Ich bin geschockt über ihren Wutausbruch und ihre Aussage. Ich kann's nicht fassen. Nun habe ich selber Tränen in den Augen, dreh mich um und geh. Geh erst mal raus hier. Ich muss mich nun selbst abreagieren und geh ein wenig die Straße rauf. So böse geworden ist sie noch nie. Und warum brüllt sie mich an und stößt mich weg? Kann ich was zu unserer beschissenen Situation? Habe ich daran schuld? Habe ich was falsch gemacht? Ich gehe noch ein wenig gedankenverloren durch die Gegend. Tatsächlich war Meike seit dem Gespräch mit Herrn Ockel nicht mehr am neuen Haus. Nach einigen Minuten kehre ich zurück. Sei es drum, dann werde ich allein mit den Kindern und Bekannten feiern gehen. Aber kann ich Meike überhaupt allein lassen? Das wär wohl auch nicht gut. Ich beschließe notgedrungen, mit ihr Zuhause zu bleiben. Als ich ins Haus komme, wartet sie schon auf mich.

„Es tut mir leid", sagt sie und nimmt mich in den Arm.

„Ist schon gut", sag ich zu ihr, „es ist auch für mich nicht alles einfach. Dann bleiben wir eben hier."

„Nein", sagt sie da, „ich komme mit!" Das ist schön, da freue ich mich. Schnell fahren wir zum Haus, es ist ja nun später geworden und es muss noch einiges gemacht werden. Als wir ins neue Haus reinkommen, sind wir beide überrascht. Heizstrahler sind aufgestellt, es ist muckelig warm, Tische und Bänke und Stühle aufgestellt und in der Mitte des Raumes .... ein riesiger geschmückter Tannenbaum! Ok, die Kugeln sind ein wenig grell und kitschig, aber egal. Danny entschuldigt sich sofort.

„Was anderes konnten wir jetzt auf die Schnelle nicht kriegen, also haben wir die Kugeln bei Kodi geholt."

„Boah, das ist egal, der Baum ist trotzdem wunderschön", sage ich und meine es ernst. Da wir für die Stadt Sprockhövel immer die Seniorenweihnachtsfeiern ausrichten und die Tannenbäume dafür kaufen und schmücken, können wir sie nach der Veranstaltung mitnehmen, da sie eigentlich entsorgt werden sollen. Sie sind sehr groß, da sie für die Bühne gedacht sind. Dass die Kinder einen davon im neuen Haus aufgebaut haben, habe ich überhaupt nicht mitbekommen.

„Doch, das habt ihr schön gemacht", sagt da auch Meike. Sie selbst, Anka und Steffi dekorieren noch ein wenig, Sascha und Danny holen noch eine Schmiedekiste und stellen Sie vor die Terrassentür.

„Da machen wir heute Abend Spießbraten drauf",

erklären sie.

„Müssen wir die noch holen?" frage ich.

„Nee, mach ich", sagt Sascha, „ich habe die alle vorbestellt." Ich mach mich dann mal an die Vorbereitungen für mein weihnachtliches Nationalgetränk, Eierpunsch! Nach und nach trudeln die Gäste und auch die Nachbarn Ochse ein. Es ist trotz Betonboden und Baustellencharakter eine gute Stimmung. Später am Abend spielen die Kumpels von Sascha und wir singen alle mit. Alle, auch Meike, haben jetzt gute Laune und das kommt nicht nur vom Alkohol. Na ja, ein wenig trägt mein selbst auf die Schnelle kreierter Eierpunsch schon dazu bei. Am nächsten Tag bedanken sich noch einmal die Nachbarn und sagen, wie gut es ihnen gefallen hat und wie schön das auch war mit dem Singen. Mir hat es auch gut gefallen, habe aber ein wenig aua Kopp. Ich habe zum Schluss nur noch allein meinen Eierpunsch getrunken, die anderen meinten alle, er sei etwas zu heftig gewesen. Ja? Ehrlich? Kann sein. Auf jeden Fall haben wir es geschafft, auch Meike, wenn auch nur kurzfristig, ein wenig abzulenken. Unsere erste Fete im neuen Haus!

316 Tage nach dem Brand

Heute haben wir Post aus Arnsberg bekommen. Das Gericht bestätigt noch einmal den Baustopp und gibt als Grund an, dass der Streitpunkt nun der Bebauungsplan bzw. die Befreiung von der Grenze sei. Ich leite das Schreiben sofort an Herrn Oberhof weiter und er spricht darüber auch sofort lange mit dem Leiter des Bauamtes, Herrn Ockel. Dieser ist sich keiner Schuld bewusst und sieht das Ganze erwartungsgemäß anders als das Gericht es tut. Er gibt in diesem Gespräch unserem Anwalt ganz unmissverständlich zu verstehen, dass die Stadt kein Interesse zeigt, sich zu einigen. Man wolle das „durchziehen", zur Not durch alle Instanzen. Vielmehr schlägt man uns vor, uns privat zu einigen. Ja klar, ist ja auch der einfachste Weg für die Stadt. Und der finanziell günstigste. Ist ja schließlich nicht ihr Geld, was da in Richtung Nachbarn fließen soll.

Rein theoretisch könnten wir uns ja jetzt zurücklehnen und sagen, macht ihr mal. Wir sind ja gar nicht verklagt, sondern die Stadt. Wir könnten in aller Ruhe abwarten, wie man sich einigt und wer den entstandenen Schaden begleichen muss, die Stadt oder die Nachbarn. Gerade diese Ruhe haben wir allerdings nicht. In einem langen Gespräch im Familienrat gehen wir am Abend mal die Möglichkeiten durch. Wenn wir uns raushalten und Stadt und die Bauers sich weiterstreiten lassen, wie viele Wochen wird es dauern? Oder Monate? Oder Jahre? Man hat schon oft gehört und gelesen, dass so eine lange Zeit nichts ungewöhnliches ist. Und was passiert mit dem Haus inzwischen? Wir dürfen weder von außen isolieren und verputzen, noch das Dach decken. Es würde feucht und schimmelig werden und müsste abgerissen werden. Wer soll dann die Kosten übernehmen? Gewinnt die Stadt den Prozess, müssten Bauers einige 100.000 € zahlen. Ich denke nicht, dass sie das könnten. Selbst wenn sie Ihr Haus verkaufen müssten, würde das lange nicht reichen und wenn sie dann die Finger heben würden, würde mir das mal gar nichts bringen. Und wenn die Stadt verliert? Dann müsste sowieso abgerissen werden und das Haus oder ein dann nötiges neues vier Meter weiter nach hinten wieder aufgebaut werden. Dazu müsste aber der Garten bzw. der Hang wieder vier Meter weiter nach hinten gesetzt werden. Das wird auch die Versicherung der Stadt nicht mal eben bezahlen und man würde in Berufung gehen. Und es würde dauern .... Am nächsten Morgen beauftrage ich Frank Oberhof, mit Herrn Schön über die Erpressung, upps Entschuldigung, die Einigung zu sprechen. Ich schreibe erneut die Staatsanwaltschaft an, erkläre die nun neue Sachlage und bitte, die Ermittlungen zu stoppen. Das wäre glaube ich kein guter Anfang für Verhandlungen, wenn zwischendurch ein Brief der Staatsanwaltschaft beim Nachbarn reinflattert.

321 Tage nach dem Brand

wird uns eine erste Reaktion der Nachbarn und deren Anwalt von unserem Anwalt mitgeteilt. Man stimme prinzipiell einer Einigung zu. Man verwahre sich aber gegen den Vorwurf, man wolle Geld haben! Hä? Scheinbar meinen die Bargeld in die Hand. Scheinbar sehen die nicht, dass ihre Forderungen uns Geld kosten. Oder sollten die Nachbarn doch ein winziges bisschen Mitgefühl haben und ihre Forderungen reduzieren oder gar weglassen? Ich glaube, eher friert die Hölle zu, aber egal. Man wird sehen. Da jetzt erst mal die Weihnachtstage und dann der Jahreswechsel anstehen, wird es mit den erneuten Verhandlungen und Forderungsaufstellungen seitens der Nachbarn eh im neuen Jahr erst weitergehen. Trotz allem eine beruhigende Nachricht zwei Tage vor Heiligabend, dass man prinzipiell bereit ist, sich zu einigen. Am nächsten Tag treffe ich mich mit meinem Freund Dieter. Es hat sich eingebürgert, dass wir immer am 23.12. in die 50 m von unserem Haus entfernte Kneipe gehen. Wir treffen uns abends am Haus.

„Dieter, ich muss eben noch mal im Haus, die Eimer

kontrollieren. Schaltest du das Flutlicht an, damit ich nicht noch ausrutsche auf dem Gerüst und oben in der Wohnung etwas sehen kann?" Oben angekommen, sehe ich, dass die Eimer, die wir an drei Stellen aufgestellt haben, zum einen voll sind und zum anderen nicht ausreichen. Ich leere die drei und lasse mir von Dieter noch sechs Stück hochwerfen. Ich kriege echt zu viel. An immer mehr Stellen regnet es rein. Ich könnte kotzen vor Wut. Ich will jetzt nur noch weg hier und mir in der Kneipe was trinken. Als wir vor der Tür der Kneipe stehen, bemerkt Dieter, dass wir die Außenbeleuchtung angelassen haben.

„Das ist mir jetzt scheißegal", sage ich und gehe hinein. Libby, der Wirt, freut sich, dass ich mich mal wieder blicken lasse und möchte natürlich wissen, wie es aussieht mit der Bauerei. Ich erzähle ein wenig und er ist erschüttert über das, was er da hört.

„Und warum machen die Nachbarn das?" fragt er.

„Ich weiß es wirklich nicht", antworte ich. „Herr Bauer macht gar nichts. Das geht alles von seiner Frau aus. Und die wird scheinbar unterstützt von ihrer Tochter, den Söhnen und dem Schwager."

„Die Tochter kenne ich glaub ich gar nicht", meint er.

„Die wohnt ja auch woanders und kommt die Eltern nur ab und zu besuchen", antworte ich, und ... die sitzt da drüben gegenüber an der Theke!" Boah ey, die brauche ich jetzt mal gar nicht. Ich beschließe, den Laden zu verlassen, bevor ich der noch ihren Rotwein ins dümmlich grinsende Gesicht kippe. Wir gehen daraufhin erst mal in eine andere Kneipe. Am nächsten Morgen bekomme ich dann einen Anruf von Nachbarn, die oberhalb unseres Grundstückes wohnen. Sie teilen mit, dass wir vergessen hätten, die Außenbeleuchtung auszumachen. Die hätte die ganze Nacht gebrannt, das würde doch auch Strom kosten. Es wären ja schließlich mehrere Flutlichtstrahler. Ich glaube eher, die fühlten sich geblendet und hatten Angst, dass ich die Beleuchtung jetzt immer nachts anlasse. Aber vielleicht sehe ich das ja jetzt auch zu pessimistisch. Ich bedanke mich artig für den Hinweis und teile mit, dass ich ja gleich sowieso zum neuen Haus fahren werde, um die Trocknungsgeräte im Keller zu entleeren, dann werde ich das Licht ausschalten.

Es ist schon ein trauriger Anblick, wenn ich jetzt ins Dorf zum neuen Haus fahre. Jahrelang haben wir einen riesigen Tannenbaum auf dem großen Parkplatz aufgestellt. Erst mit dem Verein, den ich gegründet hatte und später, nachdem ich den Verein aufgelöst hatte, als Firma und Privatmann. Dieses Jahr ist nichts gemacht worden. Ich habe weiß Gott andere Sachen zu tun, als den Dorfbewohnern und somit auch noch

Bauers eine schöne Weihnachtskulisse zu installieren, während ich woanders wohne und gar nichts davon habe. Dafür ist unser Haus von irgendjemanden Unbekannten geschmückt worden. Um die Stangen des Gerüstes vor der Tür sind Tannengirlanden gewickelt worden. Dazu sogar einige Kugeln reingehängt worden. Von wem? Keine Ahnung, ich werde es auch später nie erfahren. Um den Eingangsbereich, wo einmal eine Haustür hin kommen soll, sind von uns Briefe aufgehängt worden. Unsere Bekannte und Fotografin hat ihren Kirchenfreunden in Amerika von uns erzählt. Für uns wildfremde Menschen haben uns daraufhin Karten und Briefe geschickt. Teilweise nur einen kurzen Text, aber teilweise auch richtig lange Briefe! Wir haben uns darüber sehr gefreut und ich habe daraufhin die Briefe einlaminiert und für jeden sichtbar am Rahmen befestigt. Das heitert mich jedes Mal wenigstens ein wenig auf, wenn ich zum Wasserauskippen der Trocknungsgeräte zum Haus komme.

330 Tage nach dem Brand

Es ist der letzte Tag im Jahr 2012. Mein Sohn schreibt bei Facebook:

„Tschüss 2012 ... Du warst scheiße!" Recht hat er!

338 Tage nach dem Brand

haben wir die „Vereinbarung" per Post erhalten. Wir staunen nicht schlecht, wir hatten die Gelegenheit, uns in den vergangenen Tagen auszumalen, wie schlimm es würde .... es kommt schlimmer!

Da wird gefordert, den Spalt zwischen Außenwand und Brandschutzwand zu verfüllen. Das hatten wir ja längst angeboten. Die Brandschutzwand solle verputzt werden. Das war klar. Meinen die ernsthaft, das wollen wir so lassen? Angebliche Feuchtigkeitsschäden in der Wohnung sollen beseitigt werden. Das ist doch bereits von der Versicherung bezahlt worden. Feuchtigkeitsschäden im Keller sollen beseitigt werden. Auch da waren bereits Gutachter, welche festgestellt haben, dass es alte Feuchtigkeitsschäden sind, welche nichts mit dem Neubau zu tun haben. Es sollen Fliesenschäden an der Hausfront beseitigt werden. Dafür sucht die Versicherung noch eine Firma, bei der man die gleichen alten Fliesen bekommt. Fliesenschäden auf der Terrasse von Bauers sollen beseitigt werden. Die sind entstanden, als ich den Sichtschutz von Bauers mit ihrer Genehmigung abgebaut habe. Das ging nicht anders, weil man über die Bodenplatten des Geländers gefliest hatte. Klar, dass das wieder fertig gemacht wird. Usw. usw. Jeder Pups wird aufgezählt. Dabei ist es egal, ob es schon

Geld von der Versicherung dafür gegeben hat oder ob man die Wiederherstellung bereits eingeleitet hat. Der Hammer kommt aber zum Schluss. Es soll, so noch nicht geschehen, von Fachfirmen erledigt werden. Sämtliche Arbeiten sollen von einem Sachverständigen, den sich Bauers aussuchen, begleitet werden. Dieser soll vorher eine Bestandsaufnahme machen, Firmen empfehlen, beauftragen und sämtliche Arbeiten überwachen. Er soll alles kontrollieren und hinterher einen Abschlussbericht schreiben. Erst wenn dieser positiv ausfällt und von drüben akzeptiert wird, werde man die Arbeiten für beendet erklären. Ach ja, den Sachverständigen sollen wir natürlich auch bezahlen. Interessanterweise sollen wir außerdem eine Rechnung bezahlen für einen Besuch bzw. eine Untersuchung des Kellers unserer Nachbarn, welche im April! stattgefunden hat. Also drei Monate, bevor man uns schriftlich vorwarf, dass an „diesem" Wochenende Wasser in den Keller eingedrungen sei. Außerdem die Auslagen von dem Prozess in Hagen, welchen Bauers gegen uns verloren hatten. Natürlich die Rechnung von Anwalt Schön für dieses schöne Erpressungsschreiben. Unseren Anwalt müssen wir ja sowieso bezahlen. Und weil sie Angst haben, dass wir irgendwann mal sagen könnten, dass wir kein Geld mehr haben, wollen sie natürlich als erstes eine Bankbürgschaft zu ihren Gunsten, die erst aufgelöst wird, wenn besagter Abschlussbericht positiv ausfällt. Ich überschlage das Ganze und komme auf locker 50.000 €! Soviel zum Thema ... Bauers verwahren sich davor, Geld haben zu wollen, wie es Ihr Anwalt einst schrieb! Das ist schon heftig.

Ein Problem sehe ich bei den erwähnten Feuchtigkeitsschäden im Keller, wofür sie uns ja immer noch verantwortlich machen. Sollte der Gutachter doch, warum auch immer, zu dem Ergebnis kommen, dass wir tatsächlich am feuchten Keller Schuld haben, kann das allein schon sehr teuer für uns werden.

„Die wollen sich ihren schon immer feuchten Scheißkeller auf unsere Kosten sanieren lassen. Da kommen unter Umständen einige Tausend Euro auf uns zu", gebe ich zu bedenken. Davon abgesehen, dass wir uns vollkommen in ihre Gewalt begeben, ist die Summe auch jenseits von dem, was wir uns erahnt hatten. Familienrat ist angesagt. Und der tagt nicht nur heute. Es folgen etliche hitzige Diskussionen, zahlreiche Besuche unseres Anwaltes, Hin- und Herschreiberei. Beantragte Änderungen unserseits, Änderungen von der Gegenseite und etliche Gespräche mit der Stadt.

Außer dass ich täglich die Trocknungsgeräte im Keller

leere und den Keller weiter ausbaue, kann und darf ich nichts am Haus machen. Ich will mich daher um die Treppe vorm Haus kümmern. Wann auch immer es weitergeht, brauchen wir ja eine. Und jetzt hab ich ja Zeit, mich drum zu kümmern. Also surfe ich erst einmal im Internet und suche einen Lieferanten. Ich entdecke dabei Fotos von einem Gartenmarkt in Essen. Dieser Markt preist Stufen an, die im Halbrund vor dem Eingang liegen. Ich finde das schön und rufe dort an. Beim Telefonieren weiß die junge Dame allerdings gar nicht, wovon ich spreche. Kennt die ihre eigenen Produkte, die im Internet angeboten werden, denn nicht? Nach einem langen Gespräch stellt sich dann heraus, dass der Markt Steinprodukte aus dem Angebot gestrichen hat. Soweit ok, aber dann hätte man den Internetauftritt auch entsprechend ändern können. Die Dame sagt allerdings, dass man noch zwei Filialen habe. Es könnte sein, dass ich dort fündig würde. Sofort rufe ich diese beiden Filialen an, aber auch die können mir nicht weiterhelfen. Schade, das hatte so schön ausgesehen auf dem Foto.

Mir kommt plötzlich die Idee, einen Steinbruch in der Nachbarstadt aufzusuchen. Da kann ich mir dann auch gleich die Steine in Natur ansehen. Ich entscheide mich für einen Sandstein in einer hellbraunen Farbe. Sodann wird mir erklärt, dass man, um einen

Kostenvoranschlag machen zu können, eine Zeichnung von mir brauche. Das ist für mich kein Problem und ich fertige sofort, als ich wieder „zu Hause" bin, eine Zeichnung an und maile sie zum Steinbruch. Ich rufe 14 Tage später, als ich immer noch nichts vom Steinbruch gehört habe, an und frage nach. Das ginge nicht so schnell, wird mir mitgeteilt. Ich solle mich noch einmal in 14 Tagen melden. Das mache ich dann auch, um mir dann anzuhören, dass man so etwas nicht schneiden könne. Toll, das hätten sie auch gleich sagen können. Bin ich wieder am Anfang, aber egal. Vor Jahren hatte ich einen Steinmetz, welcher mir eine Marmorplatte gesägt und bearbeitet hatte. Ich suche den heute mal auf, um ihn zu fragen, ob er mir Steine für eine Treppe besorgen und bearbeiten kann. Leider gibt es den Betrieb nicht mehr. Auf der Rückfahrt sehe ich zufällig einen anderen Steinmetzbetrieb. Ich spreche dort mit dem Juniorchef und erkläre ihm meine Wünsche. Prinzipiell ginge das, aber um ein Angebot zu erstellen, bräuchte er eine Zeichnung. Die habe ich im Auto dabei und hole die.

„Jou", sagt er, du hörst dann in ein paar Tagen von uns." Und wieder rufe ich nach 14 Tagen beim Betrieb an. Nun hab ich den Seniorchef am Telefon. Er erzählt mir, dass sein Sohn mich von unserem Kirmesstand her kenne und ihm auch die Zeichnungen gegeben habe. Er würde mich auch kennen und habe schließlich in der Zeitung gelesen, was passiert sei und dass ihm das leidtun würde. Das Angebot hätte er noch nicht gemacht, aber er verspricht, mir das in spätestens drei Tagen zu schicken. Als ich nach drei Wochen immer noch nichts gehört habe, hake ich auch diese Möglichkeit, an eine Treppe zu kommen, ab. Scheinbar haben die genug andere Aufträge oder brauchen kein Geld mehr, egal.

Ich versuche einfach mal mein Glück bei Ebay. Dort gibt es eine Rubrik, in welcher Bau- und Renovierungsmaterialien angeboten werden. Vielleicht ist da ja was bei. Und tatsächlich lese ich eine Anzeige, wo jemand alte Treppenstufen abgeben will. Auf dem Bild sehen die urig aus. Alt und richtig ausgelatscht. Leider in rötlichem Farbton. Ach, egal. Das Haus soll ja auch rot werden, dann passt das ja. Obwohl ich nur zwei Stufen brauche, biete ich auf alle drei angebotenen Stufen. Zwei Tage später bekomme ich Bescheid das ich die Versteigerung gewonnen habe und nun drei Stufen besitze. Ich rufe sofort den Verkäufer an und verabrede, dass mir die Stufen per Spedition gebracht werden. Eine Woche später ruft der Spediteur an und verkündet, dass er vor dem neuen Haus stehe und Hilfe beim Ausladen brauche. Schnell fahre ich zum Haus und trage Stufe für Stufe mit dem

Fahrer aufs Grundstück. Obwohl wir die Stufen ganz vorsichtig in den Sand legen, knackt die letzte Stufe in der Mitte durch. Mist. Die hat bestimmt einen Riss beim Transport bekommen. 500 Kilometer auf dem Blechboden des Sprinters, ohne dass man was daruntergelegt hat, war schon etwas fahrlässig. Aber ich hab ja zum Glück eine Stufe als Reserve bestellt. Ich bin aber auch ein pfiffiges Kerlchen. Kann halt nicht immer alles glatt gehen.

359 Tage nach dem Brand

seit zwei Monaten regnet es nunmehr durch das Dach. Alle paar Tage leere ich die zahlreichen Eimer, die ich dorthin gestellt habe, wo es auf den Boden tropft. Aber das Wasser sucht sich natürlich seinen Weg. Auch an den Balken entlang und in die Dämmung hinein. Wenn das jetzt noch lange so weiter geht, fängt es an zu schimmeln. Dann kann ich die Dämmung wegschmeißen. Und für die Balken ist es natürlich auch nicht gut. Ich beschließe daher, das komplette Dach mit einer Plane abzudecken. Dieses teile ich zunächst Sascha und Danny mit. Sie sind sehr skeptisch.

„Wie willst du das denn anstellen, wir dürfen doch nichts machen."

„Das ist mir jetzt alles egal", antworte ich. „Ich kann jetzt nicht länger zusehen, wie unser neues Haus langsam kaputt geht. Ich werde die Stadt nicht fragen, sondern lediglich informieren, dass ich als Sicherungsmaßnahmen zunächst eine Plane über das Dach spanne. Dann schreibe ich, dass ich in einem zweiten Schritt das Dach decken und das Haus von außen verkleiden werde, damit die Außenwände nicht weiter unisoliert dem Wetter ausgesetzt sind. Mal sehen, wie das Bauamt reagiert, mir ist es inzwischen egal! Das heutige Abplanen werden sie nicht verhindern können. Was wollen sie machen, um mich zu hindern? Einen Hubschrauber schicken? Oder die Polizei aufs Gerüst schicken? Mir egal, ich mach das jetzt und werde mich nicht aufhalten lassen. Ich fahre jetzt, kaufe die Plane und dann machen wir die zu viert drauf. Wir nehmen uns noch meinen Neffen Alex dabei."

„Sonst keinen?" fragen die Kinder.

„Nein, das ist mir zu gefährlich auf dem Dach, um noch irgendwelche Mitarbeiter von mir zu fragen, ob sie helfen. Bereitet ihr schon mal alles vor, besorgt vier Hämmer, Nägel und bringt schon mal Latten aufs Dach, bis gleich." Eine Stunde später bin ich wieder da. Es war gar nicht so leicht, die Plane ins Auto zu bekommen. Das ist eine Rolle von 1 m Länge und 80 cm im Durchmesser. Wiegen tut die bestimmt 100 kg. Jetzt wuchten wir die erstmal über das Gerüst nach oben auf das Dach. Von unterwegs hatte ich dann doch noch versucht meinen Dachdeckerkollegen Uwe zu überreden, uns mit einem Mann zu helfen. Er hatte sich jedoch geweigert.

„Das ist nicht möglich. Nicht an einem Stück. Viel zu gefährlich, wenn da der Wind runter bläst, kriegen wir die auch nicht zu sechs Mann gehalten", meinte er.

„In Stücke schneide ich die nicht. Ich bin froh, dass ich so eine große Plane am Stück bekomme. Wenn ich jetzt wieder Nähte habe und die verkleben muss und das nicht hält, bin ich so weit wie vorher. Dann kann ich es auch gleich sein lassen", antworte ich Uwe. Ok, dann machen wir das eben allein. Als wir die Plane endlich mühevoll nach oben gehievt haben und eine kurze Verschnaufpause machen, kommen den Kindern und Alex wieder Bedenken. Das können wir nicht halten, wenn der Wind da rein bläst, geben sie zu bedenken.

„Dann lasst ihr halt los. Ich lass nicht los. Flieg ich eben mit der Plane nach Castrop-Rauxel", scherze ich, um meine Angst zu überspielen. Wir rollen nun gemeinsam die Rolle auf der Straßenseite aus. Dann klettere ich auf die andere Seite des Daches. Jetzt muss alles schnell gehen. Sascha, Danny und Alex ziehen nun vereint die Plane über den Giebel zu mir. Ich halte die Hälfte der Plane jetzt auf meiner Seite, leg mich mit meinem schlanken Körper darauf und merke schon, wie der Wind unter die Plane geht. Zum Glück ist es nicht sehr windig.

„So, macht schnell", rufe ich. „Nagelt Latten drauf, damit die Plane vorne nicht mehr abgeht und kommt dann schnell rüber auf meine Seite." Ich hänge da wie so ein Klammeräffchen und bin froh, mehr als 80 Kilo zu wiegen. Auch mehr als 100, ach lassen wir das. Aus den Augenwinkeln heraus sehe ich, wie Werner in seinem Garten zu uns heraufstarrt.

„Mensch, pass bloß auf, Jörg", ruft er. Ich nicke nur. Endlich kommen die Drei auf meine Seite, ziehen hier die Plane stramm und nageln Latten drauf. Puh, das war gefährlich. Aber hat doch geklappt....

Am selben Abend knicke ich ein und wir unterschreiben diese widerliche Erpressungsvereinbarung!

Aber selbst dabei wollen die Bauers einen wieder bescheißen. Obwohl der Vertrag von Bauers kommt, ist die Stelle, an der Herr Bauer unterschreiben soll, leer. Sofort frage ich unseren Anwalt, wie das kommt.

„Oh, das ist mir gar nicht aufgefallen", sagt er. „Ich

werde dort sofort nachfragen." Das war natürlich kein Zufall oder ein Versehen, sondern Absicht! Zwei Tage später bringt unser Anwalt den Vertrag vorbei. Als ich sofort nachsehe, entdecke ich nicht die Unterschrift von Horst Bauer, sondern die seiner Frau.

„Frank", sage ich, „warum hat Herr Bauer als Hausbesitzer nicht unterschrieben?" Alle bisherigen Briefe und auch diese Vereinbarung sind angeblich in seinem Namen gemacht worden."

„Tja, das ist so", druckst er rum, „Herr Bauer ist wohl nicht mehr in der Lage, etwas zu unterschreiben, noch dem Geschehen zu folgen. Die Familie hat ihn daher für unmündig erklärt und sich bei einem Notar die Genehmigung von ihm unterschreiben lassen (komisch da konnte er es), alle Rechtsgeschäfte für ihn zu führen." Das ist ja echt der Hammer!

„Da man mich nicht vorher informiert hat und mich im Glauben gelassen hat, dass ich einen Vertrag mit Horst Bauer unterschreibe, halte ich das Ganze für Betrug", sage ich. „Auch, wenn es im Nachhinein von einem Notar abgesegnet wurde."

„Natürlich war es nicht redlich."

„Man könnte auch sagen, rechtlich anfechtbar, aber willst du das jetzt? Willst du jetzt die ganze Vereinbarung aufs Spiel setzen?" Das will ich natürlich nicht und so akzeptiere ich diese bewusste Verarscherei unserer „lieben Vertragspartner". Ist jetzt auch egal. Was sollen wir auch machen? Uns raushalten? Die Stadt und Bauers machen lassen? Das Haus kaputt gehen lassen? Wohl eher nicht. So, jetzt geht es mit Volldampf weiter. Sehen wir zu, dass unser Häusken endlich fertig wird.

366 Tage nach dem Brand

ist kurzfristig ein neues Treffen mit dem Gutachter verabredet worden. Es soll besprochen werden, wie man unsere Behauptung, unter der Brandwand sei ein Betonfundament, beweisen oder wiederlegen kann. Ich selbst bin bei einem Fernumzug, aber Sascha ist mit Meike da. Auch der Gutachter hat sich Verstärkung mitgebracht. Frau Bauer, Anwalt Schön und leider auch noch der dümmliche Sohn, Olaf Bauer. Der Gutachter beginnt das Gespräch und erklärt, dass man eigentlich nur feststellen könne, ob es stimmt, was wir sagen, indem man Probebohrungen machen würde. Ja ne, ist klar, Bilder von der Verschüttung mit Beton, Bilder vom Ausheben des Grabens für das Fundament, Filme vom
Einschütten des Betons, Stellungnahmen des Bauunternehmers und Wiegezettel des Betonwerkes sind da als Beweis eher dürftig. Ist schon klar. Unser

Wort zählt an dieser Stelle sowieso nicht. Also möchte der Gutachter einen neuen Termin machen, an dem er eine Bohrmaschine mitbringt. Dann möchte er Probebohrungen durchführen.

„Das können wir jetzt auch sofort machen, Bohrmaschinen und Bohrer haben wir alles da", meint Sascha.

„Na gut, dann können wir das auch jetzt sofort machen", sagt der Gutachter. Der ganze Trupp begibt sich in unseren Keller. Dort zeigt der Gutachter, wo Sascha bitte bohren möchte. Erst da, dann da, dann da nochmal. Der Gutachter ist zufrieden, nicht so Olaf.

„Dann möchte ich, dass da noch mal gebohrt wird", sagt er und zeigt auf eine weitere Stelle. Sascha bohrt.

„Dann da nochmal", sagt Olaf, als hätte er auch was zu sagen. Sascha bohrt wieder. Dann schlägt er vor, noch einmal von der Seite aus dem Keller von Bauers zu bohren.

„Ok", sagt der Gutachter etwas genervt, „machen wir das auch noch." Beim Rausgehen flüstert Anwalt Schön Sascha zu:

„Das kommt jetzt nicht mehr von mir oder dem Gutachter, sondern der Sohn steigert sich so darein." Sascha bohrt artig ein weiteres Loch in die Kellerwand von Bauers und stößt auch hier wieder auf Beton.

„Dann bohr hier nochmal", befiehlt nun wieder Olaf und Sascha macht, wie ihm befohlen wird.

„Vielleicht hat er nur zufällig auf Stein getroffen, mach hier nochmal eine Bohrung", ruft Olaf da wieder.

„Jetzt reicht es aber", platzt da dem Gutachter der Kragen. „Herr Ring macht überhaupt kein Loch mehr, er hat nun wirklich zur Genüge bewiesen, dass hier hinter Beton ist. Jetzt können Sie Ruhe geben!" Olaf guckt verdutzt. Schön dreht sich zur Seite.

„Damit wäre das Thema wohl ein für alle Mal geklärt", sagt der   Gutachter. Wo man gerade im Keller ist, wird dieser wieder einmal untersucht und es wird die Feuchtigkeit gemessen. Zu unserer Wand hin ist sie aber sehr gering.

„Die Restfeuchte darin trocknet noch aus, das ist sehr gering", erklärt der Gutachter. Jetzt misst er die Wand zur Straßenseite. Dort ist erhebliche Feuchtigkeit. Um einen Lichtschacht herum sieht man mit dem bloßem Auge, wie nass es ist.

„Das kommt natürlich daher, dass nur ein Gitter auf dem Lichtschacht ist. Da ist es klar, dass bei Regen Wasser eindringt."

„Hier sehen Sie mal, der Stahlträger in der Decke

rostet ja schon", sagt er zu der alten Bauer. Die reagiert gar nicht und sieht weg. Des Weiteren misst er um ein Loch in der Wand herum. Dort ist früher mal das Elektrohauptkabel vom Bürgersteig hereingeführt worden. Als man es verlegt hat, hat man noch nicht einmal das Loch von innen verputzt. Auch da ist es sehr feucht. Als letztes wird in einer Ecke gemessen, welche Frau Bauer auch als feucht bezeichnet. Nachdem der Gutachter gemessen hat und sich umsieht, entdeckt er auch hier den Grund.

„Sehen Sie mal hier, da ist eine Wasserleitung von Ihnen durch die Decke verlegt worden. Das scheint nicht ganz dicht zu sein, das ganze Kupferrohr ist an dieser Stelle oxidiert. Insgesamt sind alles Schäden, die schon offensichtlich lange da sind und die Sie selbst verursacht haben. Dafür kann man nicht Rings verantwortlich machen." Und das aus dem Munde das Gutachters! Bauers Lieblingsgutachters!

„Nun soll es ja noch Feuchtigkeitsschäden im Schlafzimmer geben, dann sehen wir uns das jetzt mal an", meint er dann. Frau Bauer möchte Sascha an der Haustür rauslassen, mit ins Schlafzimmer soll er wohl nicht. Der Gutachter bekommt das mit und meint:

„Herr Ring kann natürlich mitkommen, es waren gerade auch alle bei ihm im Keller!" Im Schlafzimmer beginnt dann die große Jammerei von Frau Bauer.

„Wir schlafen schon woanders, ich habe Asthmaanfälle bekommen und bei einer Kommode war die Rückwand schimmelig, die haben wir schon entsorgt." Der Gutachter und eigentlich alle sehen sich suchend nach Schimmel im Zimmer um.

„Wo ist denn nun alles verschimmelt?" möchte da der Gutachter wissen. Theatralisch deutet sie in eine Ecke, die leergeräumt ist, scheinbar stand da vorher die Kommode. Der Gutachter beugt sich zur Erde und sieht dort ein Kunststoffabflussrohr. Ein sogenanntes HT-Rohr, welches durch die Außenwand geführt wird.

„Ja, das ist klar, dass es da feucht wird", meint er. „Zum einen ist das Loch nicht richtig verputzt, zum anderen bildet sich dort eine Kältebrücke, da muss es ja feucht werden. Aber die Wand ist doch nicht zu Rings Seite, sondern in Richtung Ihrer Terrasse. Auch dafür können Sie Rings nicht verantwortlich machen." Schweigen bei Bauers und ihrem Anwalt. Mit einem speziellen Gerät misst er weitere Stellen nach, vor allem an der Mauer zu uns hin. Er kann aber keine besonderen Werte feststellen. „Ich denke, die drei Punkte können wir als geklärt auf der Liste abhaken und jetzt erstmal Rings weiterbauen lassen." Das hört Sascha gerne und berichtet uns sofort davon.

„Das war wohl nicht Bauers Tag", frohlocken wir alle. Direkt am nächsten Tag geht es weiter auf der Baustelle. Zwei große Paletten werden angeliefert mit verzinkten Eisenteilen. Es sind die Einzelteile einer mobilen provisorischen Baustellentreppe, welche Sascha gemietet hat. Eigentlich wollte Schulte ja eine Bautreppe besorgen, aber da kommt ja nix mehr. Sascha, Danny und ich bauen die neue Treppe auf und fixieren sie. Ich mache an einigen Stellen noch Bretter als Fallschutz dran und dann ist sie fertig. Wir können nun über eine Treppe innerhalb unseres Hauses in die einzelnen Etagen gelangen. Zum ersten Mal sieht sich Meike in den oberen Etagen um, sie hatte sich nicht getraut, über das Gerüst zu klettern.... Am nächsten Tag teilt mir Meike mit, dass sie erstmal eine kleine Auszeit braucht. Man sagt sich natürlich, jetzt geht es endlich weiter, du musst das Geld außen vor lassen, vergiss den Hass auf die Nachbarn, positiv denken, nach vorne gucken. Na klar, aber das ist einfacher gesagt als getan. Sie möchte mit einer Freundin zum Wohnwagen fahren.

„Ich regele das jetzt hier, tu Du Dir mal die Ruhe an und erhol Dich ein wenig. Jetzt gehts wieder los mit bauen. Es muss die gesamte Elektrik gemacht werden, außer im Keller, wo ich schon soweit alles gemacht habe. Die gesamte Sanitärinstallation einschließlich

Fußbodenheizung muss noch installiert werden. Dann muss im ganzen Haus, außer im Keller, Estrich gegossen werden", meine ich zu ihr. Ich bin voller Tatendrang und froh, endlich weitermachen zu dürfen. Nie im Leben hätte ich jetzt die Ruhe, auch nur einen Tag verstreichen zu lassen.

„Als erstes aber, und das ist das wichtigste, werde ich zum Schulte gehen und ihm sagen, dass er weitermachen kann!" Sofort äußert Meike wieder ihre negativen Gedanken.

„Hoffentlich existiert der noch. Hoffentlich hat der den Rest an Material jetzt nicht einem anderen Kunden gegeben. Hoffentlich hat der jetzt überhaupt Zeit."

„Ja ja ja", beruhige ich sie, „das wird schon alles klappen! Und wenn alle Stricke reißen, machen wir allein das Haus fertig."

„Meinst du, dass du das kannst?" fragt sie.

„Ja, das kann ich mit Sicherheit", sage ich aus voller Überzeugung. Zum einen will ich sie beruhigen, zum anderen denke ich, dass es ja nicht so weit kommt. Und wenn doch? Dann schaff ich das wirklich! Mit meinen Söhnen!

371 Tage nach dem Brand

fahre ich nach Wuppertal zur Fertighausausstellung, um Dieter Schulte aufzusuchen. Es ist ein ruhiger Sonntag und sogar schönes Wetter. Sonntags ist Dieter immer in seinem Musterhaus anzutreffen. Ich trete ein und begrüße ihn.

„Hallo Dieter, wie gehts? Ich habe eine frohe Nachricht für dich! Es geht weiter!"

„Hä?" fragt er ein wenig irritiert, „haben die den Baustopp aufgehoben? Einfach so?"

„Nein", lache ich, „natürlich nicht einfach so. Ich habe mich mit den Nachbarn geeinigt. Es ging doch nicht mehr weiter. Ich habe mit der Stadt gesprochen und die haben mir gesagt, dass Sie die Sache durch alle Instanzen boxen wollen. Das kann dauern. Und das Haus geht mir kaputt. Meine Familie kriegt zu viel in der Übergangswohnung und so habe ich schweren Herzens den „Vereinbarungsvertrag" unterschrieben."

„Was musste jetzt zahlen?" fragt er sofort.

„Übern Daumen mindestens 50.000 € für alle Forderungen."

„Poha, was sind das für Schweine", entfährt es ihm.

„Jou, das kannste wohl laut sagen, aber ich hab keine andere Möglichkeit gesehen, kurzfristig daraus zu kommen. Egal. Jetzt lass uns mal drüber sprechen, wie es weiter geht. Wann kannst du weitermachen?" Stille! Seine Miene wird ernst.

„Jörg, ich werde nicht weiter machen."

„Waaas?" rufe ich.

„Es ist mir alles so teuer geworden bei Euch, erst die Lagerung der ganzen Teile, ich hatte eine Halle ein halbes Jahr belegt, ohne dass ich sie nutzen konnte. Dann das Theater mit dem Kran. Aufbauen, wieder abbauen. Das Ganze hat länger gedauert, als ich geplant habe. Ich hab kein Geld mehr zum weiterbauen." sagt er schroff. In mir steigt eine unheimliche Wut auf.

„Was ist mit dem Material, es fehlen Fenster, eine Haustür, Verputzmaterial, Dachpfannen und und und? Was ist denn damit?" herrsche ich ihn nun an. Er schüttelt nur den Kopf. Ich kann es nicht fassen.

„Das heißt, du machst gar nichts mehr?"

„Nein Jörg, ich mache nichts mehr." sagt er. Ich verspüre plötzlich eine unbändige Lust, ihm eine mitten in sein doofes Gesicht zu ballern. Ich gehe zwei Schritte auf ihn zu, er geht sofort ein paar Schritte zurück. Da komme ich zu mir und dreh mich um.

„Dann muss ich mir jetzt einen Anwalt nehmen und

dich verklagen?" Seine lapidare Antwort ist daraufhin nur:

„Wenn du meinst ..." Ich stürme ohne ein weiteres Wort aus seinem Haus. Nur weg hier, bevor noch was passiert. Ich knalle die Haustür so fest zu, dass hinter mir eine der Butzenglasscheiben zerplatzt. Erstmal ins Auto setzen und beruhigen. Das wäre jetzt mal wieder so ein Moment, wo ich heulen könnte. Nachdenken - warum? Warum wir? Warum das jetzt auch noch? Und warum verdammt nochmal hab ich aufgehört zu rauchen?

Wenn das jetzt kein guter Moment für ein Neustart wäre. Nach einer Viertelstunde ohne Heulen und ohne Zigarette(n) schaffe ich es trotz allem, soweit runter zu kommen, dass ich Auto fahren kann. Jetzt muss ich das NUR NOCH den Kindern und vor allem meiner Meike schonend beibringen. Den Rest des Sonntages bringe ich damit zu, schon mal eine ungefähre Aufstellung zu machen, was jetzt an Kosten auf uns zukommt. Das versprochene und bereits bezahlte Material und letzten Endes Montagelohn. Ok, den brauche ich nur, um die Restschuld von Dieter festzulegen. Bis auf das Dach werde ich alles mit Sascha und Danny selber machen. Noch am selben Tag fahre ich zum Anwalt und verklage Schulte. Der Anwalt macht mir nur bedingte Hoffnung. Was allerdings fest steht, sind die Kosten, die ich dafür zahlen muss. 1.500 € fürs Gericht, damit sie sich der Sache überhaupt annehmen und dann nochmal 3.500 € für den Anwalt! 5.000 € ist schon heftig, aber zu dem Zeitpunkt glaube ich ja noch, ich bekäme was von Schulte. Da weiß ich ja noch nicht, dass bei ihm nicht ein Cent zu holen ist, da er inzwischen Insolvenz angemeldet hat.

Am nächsten Tag ist Meike wieder da. Natürlich fragt sie sofort, was es bei Schulte gegeben hat und wann er weitermacht.

„Weißt du noch, was ich dir gesagt habe, als du gefahren bist? Wenn alle Stricke reißen, ... Es SIND alle Stricke gerissen! Leider möchte der Dieter nicht mehr weiter machen", sage ich nun wenig schonend. Meine Meike bleibt relativ gelassen.

„Ich hatte mir schon sowas gedacht", sagt sie. „Ich hatte das im Gefühl. Und jetzt?"

„Ich war bereits beim Anwalt und werde Dieter verklagen. Und jetzt werde ich anfangen, dafür zu sorgen, dass wir endlich unser Haus fertig kriegen und einziehen können", sage ich.

„Ich habe bereits mit Sascha und Danny gesprochen, das packen wir." Trotz ihrer inzwischen entstandenen Dauerskepsis scheint sie das zu beruhigen.

„Wir schaffen das schon!"

373 Tage nach dem Brand

verabrede ich ein Treffen mit Architekt Heldmann und Hausaufsteller Otto zu Mängelbesprechung. Die war vom Anwalt angeregt worden. Eine Stunde vor Herrn Heldmann habe ich Otto bestellt. Ich erkläre ihm zunächst, dass es weiter geht, Dieter sich jedoch weigert, weiterzumachen. Er schimpft zuerst auch mal auf Dieter. Er würde seinem Lohn auch immer hinterherlaufen müssen, es liefe immer alles so chaotisch bei Dieter usw. usw. Dann meinte er jedoch, nachdem ich ihm gesagt habe, dass ich ihn von jetzt an bezahlen werde, dass er zunächst erst mal Sachen macht, die verabredet waren und die auch schon bezahlt worden sind. Das würde er jetzt erst machen ohne Bezahlung, das wäre eine Ehrensache. Er würde uns jetzt nicht so hängenlassen wie Dieter. Allerdings könnte er nicht sofort, sondern müsste erst eine andere Baustelle zu Ende bringen. Dafür hab ich natürlich Verständnis. Als Herr Heldmann auftaucht, fangen wir mit der Begehung durch das Haus an und erstellen gemeinsam eine Mängelliste. Und die ist lang....

Ein paar Tage später, es ist ein Samstag, möchte ich als letztes an diesem Tag noch eben einen kleinen 2 cm

Spalt zwischen Brandschutzwand und Bauers Außenwand auf ihrer Terrasse zumachen. Unser Architekt hat für Montag ein Unternehmen bestellt, welches zur Abdichtung und Isolierung einen Holzdämmstoff in den Spalt einbläst. Das war günstiger und mindestens gleichwertig von den Dämmwerten wie eine Perlitschüttung, welche erst vorgeschlagen wurde. Jetzt sollte das ganze „nur" knapp über 6.000 € kosten. Doch als ich das erste Loch bohre, um das Brett anzudübeln, kommt Frau Bauer rausgeschossen.

„Was machen Sie denn hier auf unserer Terrasse? Was haben Sie hier zu suchen?" schreit sie sofort los. Ich bin erschrocken. Da es bereits dunkel ist und im ganzen Haus bei Bauers kein Licht an ist, dachte ich, es wäre keiner da.

„Guten Abend, ich wollte nur rasch ein Brett an die Wand schrauben. Am Montag kommt die Firma und es wird der Spalt gefüllt, da soll es nicht rausquellen."

„Hauen Sie sofort ab", ruft sie laut.

„Aber das ist doch so mit Ihrem Gutachter abgesprochen", rufe ich jetzt auch lauter zurück.

„Nichts da, machen Sie, dass Sie wegkommen, sonst rufe ich die Polizei!" Ich sage nichts mehr und stapfe wütend in unser Haus.

„Jetzt reichts aber, dreht die jetzt total durch? Die hat sie ja nicht mehr alle, die Alte", brülle ich jetzt auch rum. Ich kann es mal wieder nicht fassen. Und wieder mal beruhigt mich meine Meike. Zumindest versucht sie das. Klaus und Dani sind da. Sie haben gehört, dass es jetzt weiter geht und wollen sehen, was wir schon gemacht haben und ob sie in der nächsten Woche etwas helfen können.

„Ich denke, ihr habt euch mit den Nachbarn geeinigt?" fragt Dani. „Warum flippt die da drüben denn jetzt schon wieder aus?"

„Keine Ahnung, ich rufe jetzt den Schön an", sage ich.

„Es ist Samstagabend", wagt Meike einzuwerfen.

„Das ist mir ziemlich egal, meinst du, der hat privat kein Telefon?" Und schon hab ich den Hörer in der Hand. Ich spreche nun etwas ruhiger mit ihm und frage, ob er das für normal hält, was Frau Bauer da macht. Er verspricht zu vermitteln und ruft sie an. Kurz danach ruft er mich an und bestätigt, dass ich bitte nicht mehr die Terrasse betreten solle.

„Aber warum nicht?" frage ich verständnislos. „Ich muss das doch dicht kriegen und für Montag ist die Firma bestellt. Das ist doch von Bauers gefordert worden und mit dem Gutachter so besprochen." Mein Einwand nutzt nichts.

„Frau Bauer wurde vom Gutachter kein Angebot der Firma vorgelegt und so möchte Sie das jetzt nicht. Bestellen Sie die Firma für Montag wieder ab." Na, denn....

379 Tage nach dem Brand

beginnt Firma Steuernagel mit den Elektroarbeiten. Ich habe sie beauftragt und es nicht bereut. Der Mitarbeiter, welcher Markus heißt, arbeitet super. Kein Meckern, kein Jammern, souverän, ohne großes Aufsehen wurschtelt er sich Tag für Tag durch. Der Chef, Christian, kommt zwischendurch vorbei, sieht nach dem Rechten und bespricht mit Markus und mir, wie es weitergeht. Er beantwortet mir meine Fragen jederzeit, wenn ich ihn auf dem Handy anrufe. Als ich ihnen meinen Zeitplan erkläre, sprechen sich Christian und Markus ab und meinen dann, dass es knapp wird, aber zu schaffen sein müsste. Ich tackere mir jetzt erst mal einen riesigen Terminplaner an die Wand. Darauf werden ab jetzt alle Handwerkertermine eingetragen. Der Planer geht bis zum 1.5. Da steht UMZUG!

Bis dahin gehen viele an dem Planer, welcher an der Wohnzimmerwand hängt, vorbei. Sie sehen kurz drauf, lesen, schütteln den Kopf und halten mich für bekloppt. Ich tu einfach so, als merk ich das nicht. Für mich steht der Termin und ich werde ihn einhalten!

Einen Tag später kommt der von mir beauftragte Treppenbauer und ein weiterer Schreiner ins Haus. Sie sollen sich eine alte Haustür ansehen. Die bestimmt 100 Jahre alte Tür war bei einer Entrümpelung dabei. Ich habe sie mal aufgehoben, sie tat mir zu leid, um sie einfach wegzuschmeißen. Sie ist im gotischen Stil und hat ein kleines Fenster zum Öffnen mit verzierten Gitterstäben davor. Ich habe nun überlegt, sie aufarbeiten zu lassen und einen Rahmen bauen zu lassen. Der Hintergedanke war, dass mich das billiger käme, als eine neue Tür zu kaufen und einbauen zu lassen. Aber da wurde ich von beiden Schreinern eines besseren belehrt. Da die Tür leicht verzogen ist und das Schloss auf die andere Seite muss, ist der Aufwand zu groß und letztlich zu teuer. Schade.

382 Tage nach dem Brand

treffe ich mich mit Otto. Er hat seinen Bruder mitgebracht, welcher Dachdecker ist. Wir wollen über das Fertigstellen des Daches reden. Der Bruder macht jetzt für mich nicht einen so kompetenten Eindruck, aber er versichert mir, dass er ja Dachdecker gelernt habe und sich das zutraue. Außerdem habe er schon oft zusammen mit Otto für Schulte was gemacht. Er braucht allerdings Hilfe von uns. Ok, ich kann mit drei Mann helfen, sichere ich ihm zu. Ich solle auch das gesamte Material besorgen. Auch das kann ich tun. Dann kommen wir zum wesentlichen. Er möchte 6.000 € haben. Schwarz, ohne Rechnung. Außerdem übernehme er keinerlei Gewährleistung. Und zum guten Schluss teilt er mit, dass er die nächsten sechs Wochen noch nicht anfangen kann, weil er erst eine andere Baustelle vom Schulte fertigstellen möchte. Damit ist das Thema für mich erledigt und das Gespräch ist beendet. Das mache ich nicht. Otto guckt bedröppelt rein. Er hätte seinem Bruder gerne einen lukrativen Schwarzauftrag besorgt. Dann muss ich jetzt sehen, dass ich einen anderen Dachdecker finde. Mit Otto verbleibe ich so, dass er nächste Woche kommt und die Restarbeiten durchführt. Später fragen meine Jungs, ob ich wirklich glaube, dass Otto nächste Woche kommt.

„Ja sicher", sage ich aus voller Überzeugung, „da müsste ich mich in ihm schon ganz schwer täuschen." Ich rufe jetzt erst mal meinen Kumpel Uwe an, ob er Zeit und Lust hat, mir zu helfen. Lust hat er, bestimmt auch Lust, Geld zu verdienen, aber jetzt so spontan keine Zeit. Wir beschließen daraufhin, dass wir mit seiner Hilfe und Aufsicht alles alleine und selber machen. Er bestellt das Material, leiht uns seinen

Aufzug und kommt vorbei, wenn es kompliziert wird. Wenigstens auf ihn kann ich mich verlassen. Deshalb ist es für mich auch kein Problem, als er mich nach Geld fragt. Er ist im Moment ein wenig klamm. Wir überlegen und rechnen, was noch gemacht werden muss. Vor allem das Material ist ja schon eine Menge. Dann muss er die Fein- und Restarbeiten am Dach machen. Das Carport muss noch mit Schweißbahnen belegt werden. Bei der Gelegenheit kann er gleich beim Nachbarn Ochse das Garagendach mitmachen und eine neue Kupferrinne installieren. Das ist beim Einsatz der Feuerwehr ein wenig demoliert worden. Das Geld bekomme ich aber von Werners Versicherung zurück. Dann muss ja noch die Brandschutzwand von Bauers Seite mit Blech verkleidet werden. Weil wir Uwe vertrauen, bezahlen wir schon einmal alles im Voraus. 23.000 € wechseln den Besitzer. Bezahlen muss ich es ja früher oder später sowieso.

386 Tage nach dem Brand

Es ist Montag und gleich kommt endlich Otto und fängt an mit der Erledigung der zahlreichen Restarbeiten. Da bekomme ich eine SMS. Sorry Jörg, kann nicht kommen, habe Grippe, ich melde mich, wenn ich wieder gesund bin. OTTO

Das ist jetzt nicht wahr... per SMS? Wie so eine feige Schulblage? Boah, wattn Arsch. Egal, ich übernehme die Restarbeiten, weil auch ich Depp endlich schnalle, dass Otto auch nur doof ist und sich nie wieder melden wird. Es müssen die Wände auf der Bodenplatte verankert, einige Wände gerichtet, einiges geändert und ein Zwischendeckenstück eingepasst werden. Jede Menge Vorsatzwände, hinter denen Installationsrohre verlegt werden müssen, müssen installiert, gedämmt und anschließend mit Rigips verkleidet werden. Alles aufwendige Sachen. Für den schon bezahlten Innenausbau hatte Schulte allein sechs Wochen berechnet....

387 Tage nach dem Brand

treffen wir uns mit den Anwälten und dem Gutachter, um zu besprechen, wie die Arbeiten erledigt werden, die wir übernehmen müssen. Würg ....

388 Tage nach dem Brand

Fa. Lock, die Sanitärfirma fängt an. Wir besprechen zunächst den ungefähren Zeitablauf. Dazu gehen wir an meinen Terminplaner.

„ Das ist nicht zu schaffen, den Termin kannst du vergessen", ereifern sich sofort der Chef und sein Mitarbeiter.

„Das geht allein schon nicht wegen dem Legen der Fußbodenheizung und dem danach erst möglichem Estrichverlegen."

„Mit dem Estrich verlegen und trocknen lass mal meine Sorge sein. Ich habe da einen sehr guten Estrichverleger."

„Warum verschiebst du nicht einfach den Umzug um einen Monat?" fragt der Chef.

„Olli, wenn ich damit anfange, dann hat der nächste was zu quengeln und dann verschieb ich wieder. Ich bin der Meinung, nur so gehts. Man muss einen Termin festlegen und dann darauf zu arbeiten. Anders geht es nicht. Eure Aufgabe ist es jetzt, euch mit Fa. Steuernagel und der Estrichfirma abzusprechen, wer was und wann macht. Weil ja eins ins andere greift. Erst Elektrik, dann Sanitär, dann Estrich. Worauf von uns Laminat und Fliesen verlegt werden können. Anschließend sollen die Sanitärobjekte installiert und dann von uns die Malerarbeiten übernommen werden. Zeitgleich laufen natürlich von uns Restarbeiten, die eigentlich noch Schulte hätte machen müssen. Die Arbeiten von Otto z.B. das Dach decken, Fenster ein-setzen, eine Haustür kaufen und einbauen oder einbauen lassen, die komplette Fassadenverkleidung mit Dämmung anbringen, das Haus unten herum isolieren, einen Rauputz aufbringen, um nur einiges zu nennen. Wo ist das Problem?" Ich meine, ich sähe da einige Runzeln und ein paar Fragezeichen auf der Stirn, aber ich ignoriere das mal wieder. Schön, dass wir uns geeinigt haben. Den Rest des Tages verbringe ich damit, eine Haustürüberdachung zu konstruieren. Ich messe, baue ein Holzmodell und fertige Zeichnungen an. Zunächst soll mir ein Schlosser eine stabile Winkelkonstruktion zusammenschweißen. Den Rest kann ich dann wieder allein machen.

In den nächsten Tagen mache ich zusammen mit Uwe die Dachverlattung. Drei Tage später wird von Sascha, Danny, meinem Neffen und mir das Dach gedeckt. Ein Mitarbeiter von mir stellt die Pfannen auf den Aufzug und schickt Fuhre für Fuhre hoch. Am Abend ist das ganze Dach gedeckt, so dass Uwe, der einen Tag später kommt, alle komplizierten Stellen machen kann. Er kommt so, wie er Zeit hat, noch des Öfteren vorbei. Da immer von morgens bis abends jemand auf der Baustelle ist, braucht er sich nicht anzumelden. Er schiebt die Termine dazwischen, so wie er gerade in seiner Firma Zeit hat. Sascha, Danny und zwei meiner Mitarbeiter fangen an, die Außenwände fertig zu machen. Zunächst wird alles mit großen Dämmplatten isoliert, danach werden die Bretter der Außenwand aufgeschraubt.

Ein Glück, dass die Paletten wenigstens von Schulte geliefert worden sind. Die Bretter sind in einem dunklem Rot fertig gestrichen. Die Farbe war ein Vorschlag der Denkmalschutzbeauftragten der Stadt. In der Planung hatte ich zuvor mehrere Zeichnungen am PC erstellt, wie man die Farbgestaltung von außen arrangieren könnte. Damit es besser ins Dorf passt, hatte ich an einen Grauton, wie früher die Schiefer an unserem Haus, gedacht. Passend dazu sollten die Schlagläden an den Fenstern im typischen altbergischem Grün gehalten sein. Die Meinung der Denkmalschutzbeauftragten war jedoch, das man ruhig sehen sollte, dass es ein Neubau ist und schlug dieses Rot vor. Uns war es egal und wir konnten uns mit dem Gedanken anfreunden, dass unser Haus im Schwedenstil rot werden sollte.

„Wenn ich dadurch meine Baugenehmigung bekomme, hisse ich von mir aus auch noch eine schwedische Flagge auf dem Dach", habe ich damals aus Spaß gesagt. Passend zum Rot hatte ich weiße Schlagläden bestellt, welche aber gar nicht erst vom blöden Schulte geliefert worden sind. Egal, jetzt machen wir erst mal die Fassade, die Schlagläden kann man immer noch später kaufen und installieren. Ich kümmere mich um die Kraterlandschaft um das Haus herum und rufe Unternehmen an, welche mir die Einfahrt und hinterm Haus die Terrasse pflastern sollen. Nach etlichen Anrufen habe ich zwei Unternehmen bestellt, welche vorbei kommen sollen, ausmessen und ansehen und mir danach ein Angebot erstellen sollen. Von der ersten Firma kommen zwei Frauen. Und die sind schon nach zwei Minuten am Meckern.

„Das sieht ja schlimm aus hier, wie sollen wir denn da arbeiten? Wird das vorher noch geplant? Das ist aber jede Menge Arbeit!" Ich bin etwas irritiert.

„Aber ich habe Sie doch auf eine Baustelle gerufen, nicht in eine Parklandschaft. Was haben Sie denn erwartet?" antworte ich.

„Ja das ist aber 'ne richtig große Sache hier, da müssen ja sehr viele Randsteine geschnitten werden." ‚Ja klar‘, denke ich, ‚das ist Ihr Job und dafür bekommen Sie dann hinterher Geld.‘ Nur zögerlich wird ausgemessen, nicht ohne vor sich hin zu möppern. Dann verlassen sie die Baustelle. Ich habe übrigens nie wieder etwas von der Firma gehört. Später kommt mir eine Idee. Man sieht doch oft an Gerüsten große Reklamen von Firmen, die an dem Hausbau beteiligt sind. Ich überlege, ob man nicht am Gerüst groß erwähnen sollte, welche Firma um ein Angebot gebeten wurde und nie wieder etwas von sich hat hören lassen....

Am Nachmittag kommt die nächste Firma. Ein junger

Mann, sympathisch und offensichtlich kompetent. Er misst aus, bespricht alles mit mir und verspricht, schnell ein Angebot zu machen. Dieses erhalte ich zwei Tage später und falle bald um beim Lesen. 26.000 € soll alles kosten. Das ist wesentlich mehr, als wir uns gedacht haben. Wir müssen erst mal überlegen.

Als Meike und ich am nächsten Tag wegen Möbelkauf unterwegs sind, bekomme ich einen Anruf von Sascha.

„Papa, ihr müsst schnell nach Hause kommen."

„Warum?"

„Hier wurde gerade Sand abgekippt."

„Ja", sage ich, „der ist für die Estrichfirma."

„Aber so viel? Vor das Haus, auf den Bürgersteig und auf die Straße?"

„Das ist für vier Böden, das soll wohl 'ne ganze Menge sein. Wenn es zu weit auf der Straße liegt, müsst Ihr es eben wegschüppen."

„Eben wegschüppen? Das ist leichter gesagt als getan!"

„Ich komme und helfe." Als wir um die letzte Ecke vor unserer Straße biegen, traue ich meinen Augen nicht. Es liegt nicht ein bisschen auf der Straße, sondern die Straße ist fast zu. Ein Auto kommt da nicht mehr durch. Das waren zwei riesige Sattelschlepper, die haben das einfach abgekippt und waren dann fertig damit. Gemeinsam schüppen wir zweieinhalb Stunden und endlich ist die Fahrbahn wenigstens so frei, dass einspurig wieder vorbeigefahren werden kann.

In den nächsten Tagen geht es mit großen Schritten der Vollendung entgegen. Der Estrich wird im gesamten Haus gelegt. Schon kurze Zeit später geben sich die Installateure und die Strippenzieher die Klinke in die Hand. Es wird an allen Stellen am und im Haus gearbeitet. Da wir noch an der Außenfassade zu tun haben, haben wir das Angebot eines Bekannten von einem unserer Mitarbeiter gerne angenommen, uns für „ein gutes Essen" beim Tapezieren zu helfen. Klaus macht das ordentlich und zügig. Als ich ihm zwischendurch einen Kaffee bringe und ihn mit meinem Gelaber von der Arbeit abhalte, erzähle ich von dem teuren Angebot des Pflasterbetriebes. Er hört sich das an und meint spontan:

„Zeig mir doch mal, was ihr gemacht haben möchtet."

„Warum?" frage ich, „kennst du jemanden, der sowas macht?" Er grinst nur. Nachdem ich ihm alles gezeigt und erklärt habe, meint er:

„Das kann ich euch auch machen. Ich müsste mir dafür nur einen Bagger und eine Rüttelplatte leihen. Ich frage morgen mal nach, was das kostet und mache euch dann ein Angebot." Das hört sich ja schon mal super an. Noch besser als super ist der Preis, den er uns einen Tag später macht. Ein Bruchteil des Angebotes von dem Pflasterbetrieb. Natürlich nehmen wir gerne das Angebot an und ein paar Tage später hole ich mit Klaus einen Kleinbagger aus Wuppertal ab. Klaus legt los und hebt zunächst Gräben für die Drainagerohre aus. Zwei Tage später sucht uns der Gutachter von Bauers auf.

„Ich bin von Frau Bauer angerufen worden. Sie teilte mir mit, dass Sie im Garten schon wieder am Bauen sind. Sie bat mich, zu überprüfen was Sie da machen und ob das genehmigt sei." ‚Die Alte kanns nicht lassen', denke ich. Ich lasse den Gutachter ins Haus und erkläre ihm, was wir vorhaben, nämlich die Terrasse und die Einfahrt zu pflastern und auf den Bürgersteig wieder, wie es vorher war, Platten zu legen.

„Ach so, na dann ist ja alles in Ordnung, dann kann ich ihr das ja sagen", meint er. Und ich denke nur, dass man da einfach hätte fragen können, da hätte er nicht von Hagen zu uns kommen müssen. Aber ist ihm ja egal, kriegt er ja bezahlt. Von uns! Abends lese ich die Post. Ein Brief von Anwalt Schön. Nun mahnt er zur Eile beim Verfüllen der Brandschutzwand. Sag mal, geht's noch? Erst hindert mich die Olle, dann drängeln sie? Die spinnen, die Römer. Erstmal sind wir jetzt noch ein paar Tage an der Fassade.

Ich habe auch über die Verfüllung mit Klaus gesprochen und wir beide haben uns überlegt, dass wir eigentlich kein teures Unternehmen dafür brauchen, sondern das selber machen könnten. Klaus macht sich halt vor nix Bange. Und somit haben wir eine Gemeinsamkeit mehr. Als Meike und ich am Nachmittag Laminat für unsere Wohnung aussuchen, kommt die Besitzerin des Geschäftes zu uns und möchte uns selbst bedienen. Zunächst spricht sie uns auf den Brand an und sagt, wie leid ihr das alles tut. Wir erzählen, was wir alles erleben.

„Das kann man ja gar nicht nachvollziehen", meint sie. „Warum tun Menschen sowas?" Das können wir ihr beide nicht beantworten. Wir suchen weiter aus, lassen uns beraten und nach etwa einer Stunde haben wir alle Laminatböden für unsere Etage ausgesucht. Es kommt eine ganz schöne Summe zusammen. Endlich ist Frau Lützmann fertig mit rechnen. Sie sieht uns an und sagt:

„Was ist mit den anderen beiden Etagen?"

„Da ziehen unsere Kinder ein", antworte ich. „Die wollen sich natürlich den Belag selber aussuchen, aber wir werden sie hierhin schicken", antworte ich.

„Ok", antwortet sie, „wenn die anderen Beläge für die beiden Etagen auch hier gekauft werden, möchte ich Ihnen anbieten, dass ich die Kosten für eine komplette Etage übernehme!" Wir sind sprachlos, sprechen wir hier doch von einigen Tausend Euro. Überglücklich nehmen wir natürlich dieses freundliche Angebot an. Als wir diese gute Nachricht abends den Kindern erzählen, sind auch sie schwer beeindruckt.

415 Tage nach dem Brand

ist mal wieder ein Termin mit dem Gutachter. Da über die Verkleidung der Brandschutzwand gesprochen werden soll, treffen wir uns alle bei Bauers. Anwalt Schön ist natürlich auch dabei. Und die Tochter und der Sohn von Bauers. Zunächst erkläre ich, dass ich die Brandschutzwand mit Blech verkleiden lassen möchte. Ich hatte mir das überlegt, weil es dann einmalig und endgültig wäre. Wenn ich sie verputzen lasse und dann alle paar Jahre streichen müsste, ginge das Theater wieder los. Darf ich mal auf Ihre Terrasse? Darf ich mal auf Ihr Dach? Darf ich ein Gerüst aufstellen? Nein?

Da müssen sie sich erst im Familienrat zusammensetzen und überlegen? Wann darf ich denn noch mal nachfragen? In einem Jahr? Nee, kein Bock drauf. Ich denke nicht, dass das Verhältnis zwischen Bauers und mir noch einmal besser wird und so habe ich darauf gar keine Lust. Der Gutachter fragt, welche Firma das macht und auch Anwalt Schön fragt einige Sachen. Frau Bauer und Anne halten sich zurück. Sie blicken sowieso nicht durch, wie sie selbst sagen und wollen sich das von Ihrem Gutachter noch einmal in Ruhe erklären lassen. Der Einzige, der natürlich wieder seinen Senf dazu tun muss, ist Olaf. Mit doofen Fragen versucht er sich ins Gespräch einzubringen.

„Wird das Blech auf die Wand genagelt?" und „Was ist, wenn der Regen davor kommt?" sind Fragen, die mir mal wieder verdeutlichen, wessen Geistes Kind er ist. Vom Anwalt und Gutachter erntet er dafür auch nur Kopfschütteln und Augenverdrehen. Ich erkläre, dass ich eine Unterkonstruktion aus Holzlatten machen lasse und den Regen leider die nächsten Jahre nicht abstellen könne. Blödian. Dem Gutachter wird es auch zu dumm und er sagt zu Herrn Schön, dass dann doch jetzt alles besprochen sei. Als wir alle gerade gehen wollen, muss Olaf aber noch einen raushauen. Er spricht noch einmal den Gutachter an.

„Herr Mentgen, Herr Ring hat doch jetzt seine Terrasse machen lassen, fragen Sie ihn mal ob er auch Rohre verlegt hat."

„Rohre? Was für Rohre soll er verlegt haben?" fragt Herr Mentgen.

„Na, Abflussrohre für den Regen", antwortet Olaf.

„Sie meinen Drainagerohre?"

„Ja genau."

„Herr Bauer, erstens hat Herr Ring das gemacht und zweitens ginge Sie das überhaupt nichts an. Das ist allein Herr Rings Angelegenheit, ob er auf seinem Grundstück Drainagerohre verlegt." Bumms, das hat gesessen. Olaf guckt bedröppelt drein. Scheinbar hat der Gutachter keine Lust, sich von Olaf hier vorführen zu lassen. Am nächsten Tag dann der Anruf von Anwalt Schön, dass Familie Bauer jetzt eine „Blechprobe" haben möchte. Ich muss am Telefon lachen, sage aber zu, dass ich eine besorge.

„Geil," meinen die Kinder, „beim nächsten Autokauf lassen wir uns auch vom Verkäufer erst mal 'ne Blechprobe geben."

„Die laufen nur auf sechs Volt, kannste mir erzählen, was du willst", kann ich nur antworten.

In den nächsten Tagen wird weiter fleißig im und am Haus gearbeitet. Es ist immer noch von mir geplant, dass wir am Monatsende umziehen. Ich habe ein flexibles Meterband neben meinem Terminplaner im

Wohnzimmer gehängt und schneide jeden Tag einen Zentimeter symbolisch für einen Tag ab.

428 Tage nach dem Brand

Es haben sich Herr Ockel und sein Kollege Hurew für die vorläufige Bauabnahme angemeldet. Meine Meike ist wieder wer weiß wie aufgeregt und hat Sorge, dass wir gar nicht einziehen dürfen. Die beiden sind nett und höflich und wir gehen durch das ganze Haus. Viele Fragen werden beantwortet und es wird viel von beiden untersucht, geguckt, überprüft, mit Zeichnungen verglichen, nachgemessen und besprochen. Als wir alle nach draußen auf die Terrasse gehen, um die Außenanlagen zu betrachten, kommt wie beiläufig die Frage von Herrn Ockel.

„Und? Sind Sie sich mit Ihren Nachbarn einig geworden?" Ich verstehe die Frage nicht. Was will der denn jetzt? Als wenn er nicht ganz genau wüsste, was los ist.

„Wir sind dabei, alle Forderungen aus dem Erpresserschreiben zu erfüllen", antworte ich brav. Das Wort Erpresserschreiben wird von beiden geflissentlich überhört.

„Die Füllung wäre längst gemacht worden, hätte nicht die alte Bauer dazwischen gegrätscht und mich von der

Terrasse gejagt. Wir werden das in den nächsten Tagen machen. Dann werde ich die Brandschutzwand verkleiden lassen."

„Wie haben Sie das vor?" werde ich gefragt.

„Da wird von unserem Dachdecker eine Blechverkleidung vorgebaut."

„Und die Unterkonstruktion dafür?" hakt Herr Ockel nach.

„Das wird mit dünnem Konstruktionsholz gemacht."

„Aber da kommen Sie ja weg von der Wand, das sind dann ja bestimmt 25 mm." Ich gucke ein wenig irritiert. Ich verstehe nicht sofort was er mir damit sagen will und wo das Problem liegt. Er klärt mich auf.

„Dann sind Sie ja mit dem Blech 25 mm über die Grenze hinaus. Das kann ich so nicht zulassen." Ich kriege zu viel.

„Wir sprechen hier von 25 maximal 30 mm mit dem Blech. Das wird doch kein Problem sein."

„Doch, das hält ganz genau."

„Das ist doch aber bereits mit Bauers, mit dem Anwalt und dem Gutachter abgesprochen und auch von der Gegenseite akzeptiert worden", wage ich einen letzten Überredungsversuch.

„Aber es ist nicht mit uns abgesprochen. Ich kann das so nicht genehmigen. Ich will da jetzt auch kein Risiko mehr eingehen." ER will da jetzt kein Risiko mehr eingehen? Was mischt der sich denn jetzt hier ein? Nun haben wir alles mit den Bauers geregelt und er pfeift mir jetzt dazwischen? Weil er kein Risiko eingehen will? Ich kriege zu viel.

„Herr Ring, ich möchte Sie bitten, die Brandschutzwand ganz genau grenzständig zu verkleiden. Das kann also ein dünner Putz sein! Und auch das letzte Stück der Brandschutzwand auf der Terrasse von Bauers muss genau grenzständig verputzt werden."

„Ja aber um die exakte Grenzständigkeit auf der Terrasse zu erreichen, müsste ich ja die Wand auffüttern, weil die Terrasse von Bauers ja 40 cm auf unserem Grundstück die Grenze überschreitet. Wie soll das denn gehen?" frag ich.

„Da müssen Sie was vorbauen, genau bis zur Grenze", wird mir geantwortet.

„Das könnte ich also auch mit Styrodorplatten ausgleichen? Die müssten ja dann teilweise schräg geschnitten werden, weil sich der Abstand ja verjüngt."

„Ja", höre ich da, „das wäre eine Möglichkeit."

„Sie wissen schon, dass wir damit Bauers 40 cm ihrer Terrasse unbenutzbar machen?" frage ich.

„Das ist mir egal, das interessiert mich nicht. Bauers haben schließlich auch peinlichst genau auf die Grenzeinhaltung geachtet und sie eingefordert", antwortet Herr Ockel. Ich gebe mich geschlagen.

„Ok, ich werde das so machen. Den Dachdecker wieder abbestellen und die Wand teilweise auffüttern und verputzen."

„Gut, dann verschieben wir die Bauabnahme, bis Sie das erledigt haben."

„Waaas? Sie machen jetzt die Abnahme abhängig davon, ob ich die Wand richtig verkleide?" frage ich.

„Ja, ich will auf Nummer sicher gehen", antwortet mir Herr Ockel schroff.

„Aber wir wollen Ende des Monats einziehen." Und plötzlich schießen mir wieder Meikes Bedenken ins Bewusstsein. Sollten wir tatsächlich erst noch keine Genehmigung für den Einzug bekommen? Verzögert sich jetzt wieder alles?

„Ich kann Ihnen eine vorläufige Wohnerlaubnis ausstellen, dann können Sie wenigstens wie geplant einziehen. Die abschließende Abnahme können wir dann machen, wenn Sie mir mitgeteilt haben, dass alles erledigt ist", lenkt da in letzter Minute Herr Ockel ein. Ich möchte mir lieber nicht ausmalen, was meine Meike gesagt hätte, wenn ich ihr mitgeteilt hätte, dass wir nicht zurück ins neue Haus dürfen. Das ist für sie seit langem die Horrorvorstellung. Dass die Nachbarn verhindern könnten, dass wir wieder hier einziehen. Von wegen!!! Ich habe ihr versprochen, dass wir wieder zurückkommen und dass das KEINER verhindern kann!

Währenddessen ich mir überlege, dass der erste Vorschlag für die Veränderung der Brandschutzwandverkleidung daher kommen könnte, dass sich der Anwalt Schön bei der Stadt über die Verkleidung beschwert hat, bin ich mir sicher, dass aufgrund dessen, dass wir nun die Wand 40 cm dick auf der Terrasse von Bauers auffüttern müssen, das Ganze von Herrn Ockel kommt! Schon am nächsten Tag habe ich den Gutachter von Bauers zu uns eingeladen. Als wir im Wohnzimmer Platz nehmen und meine Meike ihn fragt, ob er einen Kaffee möchte, merke ich das er irritiert ist, aber gerne die Frage bejaht. Ich berichte ihm, dass ich gestern Besuch von Herrn Ockel hatte und dass ich wegen seinem Einspruch nun die Verkleidung der Brandschutzwand anders als abgesprochen gestalten muss.

„Ich werde also die Wand von Bauers Seite dünn

verputzen und streichen. Der Metersiebzig auf der Terrasse von Bauers wird komplizierter. Wir werden die Grenzständigkeit herstellen, indem wir Schicht für Schicht Styrodorplatten auf die richtige Dicke zurechtschneiden und dann aufkleben. Danach werden die Platten verputzt und danach gestrichen." Herr Menken versteht nicht.

„Warum so kompliziert, Herr Ring?"

„Weil das die Auflage der Stadt ist und ich sonst keine Abnahme für das Haus bekomme. Ich denke mir doch schließlich nicht so einen komplizierten Scheiß aus, weil ich Langeweile habe."

„Aber warum mischt sich Herr Ockel denn überhaupt da ein und warum macht er es so kompliziert? Warum kommt es ihm denn jetzt auf Millimeter an? " fragt er erneut.

„Das kann ich Ihnen sagen. Weil letzten Endes die Stadt von Bauers verklagt worden ist. Unter anderem deswegen, weil man uns in Form von einer Standortveränderungserlaubnis (die mich zusätzlich mal eben 1.000 € gekostet hat) genehmigt hatte, die Brandschutzwand einige Zentimeter von der Grenzlinie entfernt zu bauen. Und das Ganze nur, weil der Anbau von Bauers illegaler Weise zu weit auf unserem Grundstück stand." Ungläubiges Schauen von

Herrn Menken sagt mir, dass er davon gar nichts weiß.

„Kennen Sie denn gar nicht den Hintergrund des ganzen Theaters? Wissen Sie überhaupt nicht worum es hier geht? Hat man Sie von Bauers Seite darüber überhaupt nicht informiert?" Nun sind Meike und ich erstaunt.

„Nein", sagt Herr Menken, „darüber hat man mir nichts gesagt. Erzählen Sie doch mal kurz, das würde mich ja schon interessieren." Kurz ist relativ. Und so erzählen Meike und ich ihm die ganze Geschichte. Er ist sichtlich geschockt und kann es nicht fassen. Letzten Endes kann er natürlich nicht so viel dazu sagen, weil Bauers ja seine Auftraggeber sind. Wir nur die Bezahler. Naja, irgendwie kann er jetzt die Entscheidung von Ockel nachvollziehen. Dann erkläre ich ihm noch, dass wir, mein Kumpel Klaus und ich, wenn das Gerüst zum Verputzen steht, auch gleich die Verfüllung machen wollen.

„War da nicht schon eine Firma bestellt worden?" fragt er.

„Ja, aber da ist Frau Bauer doch bei den Vorbereitungen dazwischen gegangen und ich musste die Firma wieder abbestellen", erwidere ich und merke in dem Moment, dass man ihm auch davon nichts gesagt hat. Er sagt auch jetzt nichts, schüttelt nur den

Kopf.

„Also gut, berichten Sie also Frau Bauer von unserem Gespräch und von Herrn Ockels Auflagen. Und dann können Sie Frau Bauer um die Genehmigung bitten, zum Verputzen der Wand bei ihr ein Gerüst aufstellen zu dürfen", sage ich.

„Was heißt hier dürfen", meint er, „das ist doch wohl selbstverständlich."

„Wenn Sie meinen …"

„Viel problematischer sehe ich die Ankündigung an Bauers, jetzt 40 cm Grundfläche ihrer Terrasse abgeben zu müssen, nur weil die Wand da so dick gebaut wird. Was meinen Sie, wie die reagiert? Die flippt doch aus, die Frau Bauer!" Innerlich muss ich grinsen. Ich kann mir die Bemerkung „Das ist jetzt Ihr Problem" nicht verkneifen.

Während in den nächsten Tagen Danny und Sascha ihre Wohnungen fertig machen und die Restarbeiten der Handwerker überwachen, kümmere ich mich mit Klaus um die dekorative Außengestaltung der bescheuerten Brandschutzwand. Klaus verputzt und ich bringe ihm immer Nachschub, wenn der Putz alle ist. Ich sitze auf dem Gerüst, welches die alte Bauer dann doch genehmigt hat. Natürlich nicht ohne die ständige Jammerei und Stöhnerei, was sie doch jetzt alles für ein Gedöhne hat. Es durfte natürlich auch nicht der Hinweis fehlen, dass man vorsichtig sein soll, damit man nichts kaputt mache. Die 50 Jahre alten Dachpfannen zum Beispiel oder die Fliesen auf der Terrasse. Der Hinweis „Legen Sie da etwas drunter" wurde von den Gerüstaufstellern nur mit einem müden Lächeln registriert. So schlau waren die auch schon von allein. Für Handwerker kein schönes Arbeiten auf dem Nachbargrundstück. Da müssen wir im Moment durch. Ist schon echt pervers. Man wird gezwungen so ein Ding zu bauen. Kostet ca. 30.000 €. Ist nur für die Nachbarn, falls unser Haus noch einmal brennen sollte. Damit bloß nichts ihrem blöden Haus passiert. Und jetzt darf man es noch von der Seite verputzen, die wir sowieso nicht sehen. Da geht plötzlich die Terrassentür auf und Frau Bauer und ihre Tochter kommen mit einem Tablett heraus!

„Guten Morgen zusammen, wir haben uns mal erlaubt, Ihnen und Ihrem Kollegen einen Kaffee zu machen und ein paar Brötchen geschmiert. Wer fleißig arbeitet, soll auch zwischendurch mal eine Pause machen können. Im Übrigen wollten wir uns entschuldigen für die Schwierigkeiten, die wir Ihnen gemacht haben in der letzten Zeit", meint Frau Bauer. Und die Tochter ergänzt:

„Das muss ja mal wieder besser werden, das

274

Verhältnis, wenn man nebeneinander wohnt."

„Herr Ring, Herr Ring", werde ich da jäh durch die ätzende Stimme von der ollen Bauer aus meinen Träumen gerissen.

„Legen Sie doch gefälligst hier auf der Terrasse Decken aus, ich muss hier jeden Tag die Fliesen abwischen, wenn Sie Feierabend gemacht haben. Ja und? ,Das hält schlank' denke ich.

„Wir putzen doch jeden Tag abends sauber", erwidere ich.

„Ja, aber nicht gründlich", bekomme ich da zu hören. Bla, bla, bla, ... Schlimmer wird es in den nächsten Tagen. Zunächst machen wir die Verfüllung. Sascha, Danny und ein weiterer Helfer reichen die großen Säcke auf die Terrasse und dann aufs Gerüst. Ich schleppe sie bis zur Dachspitze, auf der Klaus und ich sitzen. Dort haben wir ein paar Dachpfannen abgedeckt und eine Rutsche aus Holz, welche ich gebaut habe, installiert. Ich habe quasi einen Trichter gebaut. Da hinein schütten wir nun seit etlichen Stunden Sack für Sack in die Öffnung. Das staubt natürlich heftig und wir beide setzen uns Staubmasken auf. Zwischendurch loten wir aus, wie hoch die Füllung ist. Als alle Säcke verbraucht sind, messen wir aus und stellen fest, dass noch etliche gebraucht werden. Sascha muss also noch mal losfahren in einen Baumarkt. Wir haben den gesamten Bestand aus den naheliegenden Baumärkten aufgekauft. Deshalb muss er nun nach Wuppertal, um Nachschub zu holen. Spät abends sind wir fertig und können das Dach wieder schließen.

Am nächsten Tag müssen wir die Styrodorplatten zurechtsägen. Da fliegen natürlich die ganzen Styrodorkügelchen durch die Gegend. Das lässt sich nun mal nicht vermeiden. Trotz ständigem Fegen und dem Einsatz eines Industriesaugers. Stündlich kommt Frau Bauer raus und stöhnt und möppert rum. Plötzlich geht das Handy.

„Hallo Herr Ring, hier ist Menken, der Gutachter. Wie weit sind Sie mit den Arbeiten?"

„Wir haben die Wand verputzt und die Verfüllung gemacht. Jetzt sind wir dabei, das letzte Stück auf der Terrasse von Bauers zu verputzen. Die Styrodorplatten sind alle angebracht. Warum?"

„Oh das ist blöd, ich sollte Ihnen von Frau Bauer sagen, dass Sie die Arbeiten erst mal einstellen. Der Anwalt der Familie versucht gerade, telefonisch Kontakt mit dem Bürgermeister aufzunehmen."

„Warum?"

„Er möchte Iihn um eine Ausnahmegenehmigung bitten, damit die Wand nicht so dick verkleidet werden muss. Frau Bauer ärgert sich halt, dass ie einen 40 Zentimeterstreifen ihrer Terrasse abgeben muss."

„Ja aber…"

„Nee, dann hat sich das erledigt", fällt mir Herr Menken ins Wort. „Machen Sie weiter. Schließlich war das ja auch mit mir so abgesprochen." Höre ich da ein wenig Verständnis raus? Und ein kleines „Die kann mich mal, die Frau Bauer!?" Man muss sich das mal vorstellen, verklagen uns wegen 7 cm, erpressen uns um viele tausend Euro und wollen dann für sich eine Ausnahmeregelung wegen 40 cm Grenzabstand. Dreister geht es doch wohl nicht. Und Herr Schön ruft den Bürgermeister deswegen persönlich an? Der ist sich auch für nix zu schade. Hätte nur noch gefehlt, dass wir die Platten wieder abreißen müssen. Aber nix da.

So langsam wird es. Drinnen im Haus kommen wir zu den letzten Arbeiten. Draußen kann jetzt das Gerüst abgebaut werden. Wir sind soweit fertig mit den Isolierarbeiten und der Verkleidung des Hauses mit Holz. Zuletzt war noch das aufwändige Verkleiden der Ecken und Kanten an den Fensterrahmen und am Dachgiebel mit weißem Aluminiumblech. Das wollte eigentlich Uwe machen, aber der hat im Moment keine Zeit und ich konnte und wollte nicht warten. Ich habe das dann lieber selbst gemacht. Es musste jedes Stück Blech ausgemessen werden. Dann bin ich zum Dachdeckerhandel gefahren, welcher zum Glück nur einige Straßen entfernt ist, habe immer 6 bis 8 Teile schneiden und kanten lassen, bin wieder aufs Gerüst, habe die Bleche nochmal angepasst, von Hand nachgeschnitten und befestigt. Erst dann konnte ich die nächsten Kanten ausmessen. Dann wieder vom Gerüst runter, zum Dachdeckerhandel fahren, die nächsten holen. Aber auch diese feinen Abschlussarbeiten sind erledigt. Obwohl der blöde Schulte das Gerüst bestellt hat, kenne ich die Adresse von der Gerüstfirma. Direkt nach dem Aufstellen hatten die mir doch tatsächlich eine dicke Rechnung für das Aufstellen des Gerüstes geschickt. Das sollte ich zunächst bezahlen. Die Restsumme sollte dann von mir bezahlt werden, wenn man sieht, wie lange das Gerüst gestanden hat. Ich habe damals zurückgeschrieben, dass es sich um ein Versehen handelt. Ich habe der Firma seinerzeit erklärt, dass es zur Gesamtleistung des Hausaufstellers gehört. Schulte war es ja auch, der das Gerüst bei der Firma bestellt hat. Warum es eine Firma war, welche weit weg ihren Sitz hatte und er keine örtliche genommen hat, wusste ich damals nicht. Ich dachte, dass es eine Firma sei, mit der Schulte schon öfters zusammen gearbeitet hat. Heute denke ich, dass es absichtlich eine Firma war, die weiter weg ihren Firmensitz hat. Dann brauchte er auch keine Angst zu haben, dass mal jemand auf der Baustelle vorbeischaut. Auch glaube ich nun, dass es kein Versehen war, dass die Gerüstfirma zuerst mir die Rechnung geschickt hat. Vielmehr wird es eine Anordnung von Schulte gewesen sein, mit dem Versuch, mich die Kosten fürs Gerüst bezahlen zu lassen. Im Nachhinein habe ich erfahren, dass es das erste Mal war, dass Schulte ein Gerüst bei der Firma bestellt hatte. Egal, das Gerüst muss jetzt weg und ich rufe die Firma an. Zunächst werde ich ziemlich unfreundlich angeblafft und es wird sich beschwert, dass die Rechnung immer noch nicht bezahlt ist und man schon wer weiß wie oft versucht habe, Schulte telefonisch zu erreichen. Erst als ich den Mitarbeiter der Gerüstfirma aufkläre, dass ich nicht zur Firma Schulte gehöre, sondern der Hauseigentümer bin, an welchem das Gerüst steht, wird man freundlicher. Als ich die Firma dann noch über die Finanzverhältnisse von Schulte aufkläre und sage, dass da nix zu holen sei, wird nach kurzem Fluchen ein Termin abgemacht. Man bedankt sich für den Hinweis und sagt, dass man dann auch an zwei weiteren Baustellen die von Schulte georderten Gerüste abbauen werde. Die seien zwar noch nicht fertig, aber das sei ihnen jetzt egal. Mir auch!

Die letzte große Aktion im Haus ist für morgen geplant. Die Treppe wird eingebaut. Dafür muss zunächst von uns die provisorische Behelfstreppe abgebaut und zerlegt werden. Nach ein paar Stunden ist das erledigt, die einzelnen Elemente sind verpackt und verschnürt abholbereit auf Paletten gepackt worden. Nun können wir nicht mehr hoch und runter und haben im ebenen Eingangsbereich ein gefährliches Loch in den Keller. Ich baue sofort ein paar Bretter als Schutz davor und dann machen wir Feierabend. Am nächsten Morgen kommt die Treppenbaufirma. Diese ist aus Wetter, einer Nachbarstadt. Ich war mit Sascha und Danny dort. Wir haben uns dort umgeschaut, Baupläne besprochen und die Mach- und Holzart ausgesucht. Es ist eine kleine Firma. Der Chef baut selbst auf und hat jetzt nur seinem Schwager dabei. Da es dem Chef gesundheitlich nicht so gut gehe fragt er an, ob er die Treppe zum Dachboden nicht später aufbauen könne. Damit bin ich einverstanden, da es finanziell auch nicht so rosig aussieht bei uns und das Dachgeschoß sowieso erst später von Danny ausgebaut werden soll. Das gesamte Treppenhaus wird an einem Tag installiert. Es sieht klasse aus und ist natürlich schöner, breiter und sicherer als die kleine Baustellentreppe. Als ich am nächsten Tag mit Nachbar Werner spreche, erfahre ich von ihm, dass Uwe die Arbeiten, die er bei Werner erledigen sollte, auch alle abgeschlossen hat und bereits von Werner bezahlt wurde. Bezahlt wurde?

„Wieso bezahlt wurde?" frage ich.

„Ja, wir haben doch was von der Versicherung dafür bekommen, das habe ich ihm gegeben", sagt Werner.

„Ja, das wollte ich aber doch mit dir abrechnen, ich habe Uwe doch schon im Voraus bezahlt!" erwidere ich zu Werner.

„Oh verdammt, das wusste ich doch nicht", sagt Werner.

„Nee, mit dir hatte ich das auch nicht besprochen, aber Uwe wusste das doch!" Da hat er mich aber schön bei der Erbse getan und frech zweimal kassiert. In den nächsten Tagen erreiche ich Uwe nicht und als ich endlich jemanden zu Hause bei ihm erreiche, ist das seine Frau, die aber von nichts weiß. Auch die Bitte um Rückruf hätte ich mir klemmen können. Wir konzentrieren uns jetzt aber auch alle woanders drauf...

446 Tage nach dem Brand

machen wir unseren, Saschas und Dannys Umzug bzw. den Einzug in unser neues Haus. Vorrausgegangen war das Packen der Kartons, was natürlich gerne die Frauen gemacht haben. Dann wurden rasch die wenigen Möbel, eigentlich nur die Betten von Sascha

und Steffi und von Danny und Anka und der Kleiderschrank von Danny und Anka abgebaut. Ansonsten
neu gekauftes Kleinzeug verstaut. Dann haben die
Frauen noch sauber gemacht und wir alle fröhlich das
Haus verlassen. Da kam mal gar keine Wehmut auf. Es
war wirklich kein schönes Wohnen dort. Ok, wir haben
dem Haus und der Umgebung auch keine Chance
gegeben. Wir freuen uns halt alle wahnsinnig, in unser
neues Haus, unsere gemütlichen frisch und neu
eingerichteten Wohnungen zu kommen. Da tut es der
Freude auch keinen Abbruch, dass meine Meike und
ich nur auf Matratzen schlafen müssen, weil das
Schlafzimmer noch nicht pünktlich geliefert wurde.
Auch die Küche ist noch nicht aufgebaut, sondern wir
haben noch eine Baustellenküche. zwei Arbeitsböcke
und darauf ein altes Spülblech geschraubt. Alles egal.
Es ist mit Sicherheit unser schönster Umzug, den wir
bisher gemacht haben!

Nachdem wir mit den Umzugshelfern in Ruhe zu
Mittag gegessen haben, zieht sich jeder glücklich und
zufrieden in seine Wohnung zurück und wir
verabreden uns zum ersten gemeinsamen Frühstück
morgen im neuen Haus. Dabei wird am nächsten
Morgen viel erzählt und viel gelacht. Man lässt das
ganze Geschehen noch einmal Revue passieren. Wir
sind einstimmig der Meinung, dass jetzt erst mal eine

ruhigere Zeit auf uns zu kommt. Gerade wollen die Kinder nach dem ausgiebigen Frühstück nach oben gehen, da schellt es. ‚Wer wagt es nun, uns zu belästigen‘, denke ich aus Spaß. Es ist ein Bekannter, welcher nur kurz „Hallo" sagt und dann fragt „Ist das Euer Wagen?" Nun sehe ich erst hin und erstaune. Direkt vor der Haustür stehen Saschas Auto und, noch vom Umzug gestern, der Sprinter. Quer auf der Straße, und in die beiden verkeilt, ein PKW. Sofort laufe ich auf die Straße, Sascha hinter mir und die anderen alle an der Tür. Ich sehe aber gar keinen Fahrer mehr im Auto und es ist auch niemand weit und breit zu sehen. Das ist schon sehr merkwürdig. Ob da jemand die Kontrolle über das Auto verloren hat? Ob derjenige besoffen war? Oder einfach nur in Panik weggerannt ist? Ich bedanke mich erst mal bei dem Bekannten, welcher Bescheid gesagt hat. Dann rufe ich die Polizei. Nach etwa einer Viertelstunde kommen die uns inzwischen bekannten Polizisten. „Was ist hier los, Herr Ring? Sie kommen wohl gar nicht zur Ruhe."

„Ich weiß es selber nicht, uns ist gerade Bescheid gesagt worden, dass scheinbar jemand in unsere Autos gefahren ist." Die Polizisten sehen sich die drei beschädigten Autos an, machen Fotos und einer macht eine Halternachfrage. Da kommt plötzlich ein junges Paar die Straße runter gelaufen. Es sind die Besitzer.

Sie erzählen, dass Sie 100 m weiter oben, auf dem Seitenstreifen der anderen Straßenseite geparkt hätten. Dann sind Sie beide ins Restaurant essen gegangen. Danach muss sich die Handbremse gelöst haben und der Wagen ist 100 m bergab, schräg über die Straße in unsere Autos gekachelt. Zunächst an der Seite von Saschas neuem Wagen vorbei und dann auf die Ecke vom Sprinter, der den Wagen dann zum Glück aufhielt. Gut, dass keine Passanten zu Schaden gekommen sind. Das hätte ja auch noch viel schlimmer ausgehen können. Mit der Ruhe wars das dann wohl erstmal. Zwei Tage später bekommen wir einen Anruf von einem befreundeten Reporter. Er wurde, wie üblich von der Polizei über den Unfall informiert. Er fragt, ob er vorbeikommen darf, um näheres zu erfahren. Er möchte darüber berichten, dass wir ja schon ein wenig Pech haben in letzter Zeit. Am nächsten Tag ist ein großer Bericht in der Zeitung. Über den merkwürdigen Unfall und überhaupt, im kurzen, über uns und was wir alles so erlebt haben. Diesen Bericht haben scheinbar auch Redakteure vom Fernsehen gelesen. Am Nachmittag bekommen wir einen Anruf von einem Fernsehsender. Wir werden gefragt, ob man am nächsten Tag vorbei kommen darf, um Filmaufnahmen zu machen und uns zu interviewen. Und so kommt es, dass am nächsten Morgen im Frühstücksfernsehen von SAT.1 mal wieder die Familie Ring aus Gevelsberg zu sehen ist. Später bekommen wir einen Anruf von einer Freundin von Meike. Sie ist nach Bremen gezogen und hätte sich bald am Brötchen verschluckt, als Sie beim Fernsehen plötzlich den Bericht über „Die Pechvögel aus Gevelsberg" gesehen hat. Jetzt wird es aber Zeit, das Normalität einkehrt.

Das tut es auch allmählich. Ganz langsam hat uns der Alltag wieder. Das wird deutlich, als uns eine Abschlussrechnung der GEU ins Haus flattert. Ich traue meinen Augen nicht, als ich sie lese. Wir sollen für Gas, Wasser und Strom zusammen 9.600 € nachzahlen! Sofort rufe ich bei der zuständigen Sachbearbeiterin bei der GEU an. Sie ist wirklich sehr freundlich, sagt aber auch nach einiger Zeit, dass es sich hier nicht um ein Versehen handele. Sie wundert sich allerdings auch über den hohen Verbrauch. Schließlich erkläre ich ihr die damaligen örtlichen Verhältnisse. Nämlich, dass neben dem von uns bewohnten Haus das Haus war, in dem die Besitzer wohnten. Scheinbar hat man nie die Anschlüsse für Strom, Gas und Wasser auseinander getrennt. Die junge Frau sagt, dass das die einzige logische Erklärung sein könne. Machen könne ich jetzt im Nachhinein nichts mehr. Das hätte man im Vorfeld klären müssen. Jaja, hätte, hätte Fahrradkette. Was solls, müssen wir halt das auch noch bezahlen. Mit unseren früheren Vermietern möchte ich auch nicht mehr darüber sprechen oder Ärger machen. Ärger hatten wir genug in letzter Zeit.

Drei Wochen nach dem Einzug kündigt sich Herr Ockel vom Bauamt an. Er möchte nun die endgültige Bauabnahme machen. Ich habe noch ein Treppengeländer an die Kellertreppe installiert, damit keiner da noch was zu meckern hat. Ansonsten denke ich müsste alles in Ordnung sein und sehe das sehr zuversichtlich. Ganz anders natürlich meine Meike. Den ganzen Morgen vor dem Termin schon ist sie aufgeregt und malt sich die schlimmsten Sachen aus. Sie hat tatsächlich Angst, dass noch etwas beanstandet wird und wir wieder ausziehen müssen! Da nutzt es auch nichts, wenn ich sie beruhigen will. Sie kann halt nicht anders. Als dann endlich Herr Ockel mit seinem Kollegen Hurew kommt, ist sie supernervös. Na gut, ein wenig aufgeregt bin ich natürlich auch. Ich gehe mit beiden durchs Haus und dann in den Keller. Zwischendurch wird viel gefragt und ich muss vieles erklären. Mein Treppengeländer wird natürlich überhaupt nicht von den beiden wahrgenommen. Stattdessen werden nur Fragen gestellt, ausgemessen, überprüft und Notizen gemacht. Hin und wieder werden Hinweise gegeben, wie ich noch das eine oder andere ändern muss und einige Sachen ändern kann.

Zum Glück alles nur Kleinigkeiten. Dann geht es nach draußen. Die Terrasse wird überprüft und zum Schluss wird noch ganz genau nachgemessen. Auch bei Saschas neuer Terrasse in den Garten wird genau kontrolliert, ob man auch alles genau so gemacht hat, wie im Bauantrag gezeichnet und die Maße zentimetergenau eingehalten wurden. Aber auch da ist alles in Ordnung. Die Begleitung von Herrn Ockel brummelt etwas von „Dann ist ja wohl alles in Ordnung" und verabschiedet sich von mir, um den nächsten Termin wahrzunehmen. Herr Ockel bleibt. Oh oh, denke ich. Doch noch nicht alles klar? Noch einmal geht Herr Ockel mit mir nach draußen. Er sieht sich noch einmal die Brandschutzwand genauestens an und misst auch da wieder an einigen Stellen nach. Dann fragt er ganz lapidar schon wieder, ob denn jetzt alles in Ordnung sei mit dem Nachbarn. Wie oft denn jetzt noch? Ich weiß eigentlich gar nicht so recht, was er jetzt von mir will.

„In Ordnung? Falls Sie die Forderungen aus dem Erpresserschreiben von Bauers meinen, so sind die alle erfüllt. Wir haben alles so gemacht, wie die es wollten und haben alles von ihrem Sachverständigen kontrollieren lassen. Er hat alles abgenommen und war zufrieden. Er hat dann auch schriftlich bestätigt, dass alles zu seiner Zufriedenheit ausgeführt wurde.

Daraufhin haben wir die Bankbürgschaft von den Bauers wiederbekommen. Von daher ist fast alles abgeschlossen, aber in Ordnung? Das wird nichts mehr mit alles in Ordnung!" antworte ich.

„Aber Herr Ring, Sie müssen darüber hinwegkommen. Und was heißt fast alles?"

„Das heißt, dass ich noch einige Jahre den Kredit zurückzahlen muss, den ich aufnehmen musste. Oder meinen Sie, ich hatte 150.000 € in der Schublade liegen?"

„Wieso 150.000 €?" fragt Herr Ockel nach.

„Zu den 50.000 € Erpressungsgeld kamen dann ja noch die 100.000 € dazu, welche wir für die Fertigstellung unseres Hauses brauchten, weil der blöde Schulte ja nicht weiter gemacht hat."

„Ja, aber dafür können doch Ihre Nachbarn nichts."

„Indirekt schon. Als es nach dem zweiten Baustopp weitergehen sollte, mussten wir ja die komplette Summe im Voraus bezahlen und hatten somit nichts mehr in der Hand gegen Schulte. Ich halte Schulte für ein Schwein, muss aber dennoch berücksichtigen, dass er ja tatsächlich unvorhersehbare Mehrkosten durch den Baustopp und das damit verbundene lange Einlagern der schon fertigen Hausteile hatte. Letzten

Endes sind natürlich auch Mehrkosten für das mehrmalige Auf- und Abbauen des Kranes dazugekommen. Ob er die bezahlt hat, bezweifele ich zwar, aber das soll mir auch ziemlich egal sein. Rein theoretisch wären auch Mehrkosten für die Leihgebühr für das Gerüst dazugekommen. Das war ja für ca. drei Wochen geplant und nicht für drei Monate. Dass er das dann nicht bezahlt, hat weiß ich ja. Um auf Ihre Frage zurückzukommen, in Ordnung wäre alles noch nicht einmal, wenn die Bauers uns 150.000 € geben würden. Dann wäre der materielle Schaden zwar ausgeglichen, aber noch nicht das entschädigt, was sie meiner Familie und mir ohne Grund angetan haben."

„Das sind aber harte Worte, Herr Ring." Herr Ockel scheint irgendwie Redebedürfnis zu haben....

„Jepp, da stehe ich zu!"

„Ok, Sie haben natürlich hier beim Bauen sehr viele Schwierigkeiten gehabt. Das muss man schon sagen. Aber jetzt haben Sie es doch schön. Und die Zusammenarbeit mit uns, dem Bauamt, hat doch auch gut geklappt, oder?" Was ist denn jetzt los? Was will Herr Ockel denn jetzt hören? Das Gespräch nimmt eine merkwürdige Wendung. Er konkretisiert, indem er fragt:

„Das Bauamt hat aber doch keine Fehler gemacht?"

Ich überlege immer noch, was er jetzt von mir will. Soll ich jetzt ihm, der Stadt und dem Bauamt Absolution erteilen? Mitnichten.

„Wollen Sie jetzt eine ehrliche Antwort von mir?" frage ich ihn ungläubig.

„Ja klar, sagen Sie doch mal." Einen kurzen Moment überlege ich, nichts zu sagen und alles gut zu heißen. Dann überwiegt allerdings meine ehrliche Meinung und es ist mir auch egal, wenn dann gleich jemand beleidigt ist! Ich beginne zu antworten:

„Ja, wenn ich so sagen darf, ich bin der Meinung, dass die Stadt, das Bauamt und auch Sie persönlich als ihr Repräsentant Fehler, große Fehler gemacht haben! Beginnend mit dem Bebauungsplan, welcher gemacht wurde, als die Elberfelder Straße noch Landesstraße war. Dieser hätte geändert werden müssen, als die Elberfelder Straße zur Gemeindestraße mit Tempo 30 Zone wurde. Dieses ist nie geschehen. Zumindest hätte es von Ihnen als Baubehörde spätestens bei einer Bauvoranfrage überprüft werden müssen. Dann haben Sie persönlich mir zugestanden, das Haus an gleicher Stelle wieder aufzubauen, was ja laut Bebauungsplan verboten war. Als Grund nannten Sie die optische Rücksichtnahme gegenüber den Nachbarn und die Bestimmung, dass man bei Brandvernichtung an selber

Stelle wieder aufbauen darf. Laut Gericht scheint das ja nicht zu stimmen. Dann haben Sie die Bauvoranfrage nicht in den dafür vorgesehenen Ratsausschuss gebracht. Obwohl ich Sie darauf hinwies, meinten Sie, dass Sie das nicht bräuchten, da ja bei unserem Bauvorhaben alles klar sei und es keine Probleme geben werde. Sie hätten sich damit natürlich abgesichert und es wurde ja auch vom Gericht bemängelt. Dann war es, meiner Meinung nach, falsch, die Nachbarn überhaupt um eine Baulast zu bitten. Da sich auf Ihrer Seite ja bereits ein Gebäude längs der Grenze befand, wäre das nicht nötig gewesen. Es hat nur Komplikationen gebracht und ich bin der Meinung, dass hat den Stein insgesamt ins Rollen gebracht und die Nachbarn ermutigt uns abzuzocken. Da der Grenzbau des Nachbarn ein nie von der Baubehörde abgenommener Bau war, also ein Schwarzbau, hätte man den Nachbarn darauf hinweisen müssen und nicht den Bau nachträglich legalisieren müssen! Ich höre lieber auf!"

„Nein, erzählen Sie weiter, Herr Ring, das würde mich schon interessieren, wie Sie das sehen."

„Dass der Bau nie abgenommen wurde, fiel mir ja jetzt erst auf, da er auch auf keinen Katasterauszügen auftauchte. Dafür das er nie abgenommen, wurde tragen natürlich nicht Sie, sondern Ihre Vorgänger im

Bauamt die Schuld. Das liegt ja Jahrzehnte zurück.

Der nächste Fehler wurde von der Baubehörde gemacht, indem die Bauzeichnungen von unserem Architekten ohne Beanstandung abgesegnet wurden. Diese Zeichnungen waren definitiv falsch. Unser Architekt hatte den Bau der Brandschutzwand genau grenzständig gezeichnet, was ja gar nicht ging, da ja der Anbau des Nachbarn mit einer Ecke 40 cm über die Grenze, also auf unserer Seite im Weg war. Das hätten Sie auf den Zeichnungen erkennen müssen. Zumal Ihnen die Örtlichkeiten ja bestens vertraut waren und Sie eigentlich von sich aus schon auf diese Problematik hätten hinweisen müssen. Stattdessen wurde abgenickt.

Als schließlich das Oberverwaltungsgericht nach Verhängung des ersten Baustopps darauf hinwies und ich bei der Stadt nachfragte, wie so etwas sein kann, sagte man mir wörtlich:

‚Unsere Mitarbeiter sind nicht dazu verpflichtet, das alles zu kontrollieren.‘ Nun frage ich mich allen Ernstes, warum ich die Baupläne einreichen muss, warum in mehreren Abteilungen darüber geschaut wird, warum man Stempel draufmacht, warum das ca. sechs Wochen dauert und hinterher noch Geld kostet. Dann boten Sie an, dass ich einen

Standortänderungsantrag stelle. Gebracht hat es aber vor Gericht nichts. Mich hat es lediglich 1.000 € gekostet.

Ich denke, Sie als Stadt hätten überhaupt sofort einen Anwalt einschalten müssen, der Ihre Interessen vehement vertritt. Schließlich wurden Sie verklagt, nicht ich. Für solche Fälle sind Sie doch auch versichert. Stattdessen haben Sie versucht, die Angelegenheit gegenüber dem Anwalt und vor Gericht selbst zu regeln. Mit Verlaub, das kommt natürlich auch nicht gut bei einem Anwalt und schon gar nicht vor Gericht gut an. Zu guter Letzt war Ihr Rat, dass ich mich mit den Nachbarn privat einigen solle." Provozierend füge ich hinzu: „Sie schlugen mir also vor, auf eine, nach meinem Dafürhalten, illegale Erpressung einzugehen!" Ich sehe Herrn Ockel fragend an. Seine Miene wird ernst, aber er sagt nichts. ‚Ich höre lieber auf', denke ich. Es gäbe noch einiges, was ich aufzählen könnte. Letzten Endes bin ich auch der Meinung, dass es der Stadt gut zu Gesicht gestanden hätte, uns freiwillig eine Entschädigung zu zahlen. Zumindest die Gebühren für den ersten Bauantrag und den Standortänderungsantrag. Es wäre halt eine Geste gewesen. Stattdessen hat man darauf gewartet, ob ich die Stadt verklage. Das habe ich natürlich nicht getan, bevor nicht die endgültige Bauabnahme war.

Außerdem hatte und habe ich auch kein Geld dafür, gegen die Stadt zu prozessieren! Das aber denke ich nur und spreche es nicht aus. Herr Ockel wirkt nachdenklich. Ob er sich wirklich Gedanken macht? Ob er mir vielleicht ein wenig Recht gibt?

„Herr Ring, ich sehe das anders", sagt er. ‚Logisch', denke ich.

„Uns trifft hier keine Schuld. Es ist leider so, dass sowas beim Bauen passieren kann. Und leider entscheidet das Gericht auch für uns nicht immer nachvollziehbar und verständlich. Sie wissen ja: ‚Vor Gericht und auf hoher See ist man in Gottes Hand!'" Da war er wieder, dieser blöde Spruch, den wir in letzter Zeit so oft gehört hatten und der einem Betroffenen doch so wenig bringt. Nun bin ich es, der schweigt. War es das jetzt? Das ist alles, was er nun dazu sagen will? Ein kurzes „Uns trifft keine Schuld" und so ein Spruch? Irgendwie werde ich das Gefühl nicht los, der liebe Herr Ockel wollte in Wirklichkeit nur wissen, ob ich tatsächlich durchgeblickt habe, was für Fehler von ihm und seiner Behörde gemacht worden sind und ob ihm diesbezüglich noch eventuell Nachforderungen oder gar eine Klage von mir drohen. Ich denke, dass es auch nichts bringt, hier jetzt herum zu diskutieren oder sogar Schuldzuweisungen zu machen. Das will ich auch gar nicht. Ich denke, dass selbstverständlich Fehler gemacht worden sind. Vom Hausaufsteller, von meinem Architekten, vom Statiker, von der bauausführenden Firma und bestimmt auch von mir. Wobei ich bei mir nichts konkretes wüsste. Aber auch von der Stadt und ihren Angestellten. Es sind auch nur Menschen und Menschen können Fehler machen. Bei der Stadt hat man dafür allerdings in der Regel eine Versicherung. Man müsste allerdings, um diese in Anspruch zu nehmen, auch die Fehler offenlegen und zugeben. Eigentlich ein ungünstiger Zeitpunkt für so ein Gespräch, aber Herr Ockel hatte doch gefragt. Wir beenden die Besichtigung, gehen ins Haus und Herr Ockel sagt noch kurz, dass jetzt alles klar wäre und er uns die endgültige Abnahme schriftlich zukommen lässt!

Wir verabschieden uns. Ich bin natürlich Happy, er hingegen ruhig und nachdenklich. Ob er auch verärgert ist und mir meine Schuldzuweisungen übelnimmt, vermag ich nicht in seinem Gesicht zu erkennen. Es ist mir aber auch eigentlich egal. Die Hauptsache ist: Wir dürfen jetzt ganz offiziell wohnen (bleiben) und das erzähl ich jetzt erst mal meiner aufgeregt wartenden Meike!

Nach drei Wochen bekomme ich einen Brief von der Berufsgenossenschaft. Ich hätte noch 1.600 € nachzuzahlen. Es hätten Sascha Führing und Danny

Führing viele Stunden auf der Baustelle gearbeitet, und wären ja versichert gewesen. ‚Na', denke ich, ‚das ist ein Missverständnis' und rufe dort an. Ich erkläre, dass die beiden zwar geholfen haben, aber da es meine Kinder sind, haben Sie das getan, ohne dafür Lohn zu bekommen. Trotzdem waren sie aber versichert und wenn etwas passiert wäre, hätte man ja auch gezahlt. Nun erkläre ich, dass die beiden bei mir fest angestellt sind. Und sie sowieso versichert waren. Zusätzlich habe ich noch für jeden eine private Unfallversicherung abgeschlossen. Ich habe auch die Berufsgenossenschaft nicht um eine Versicherung gebeten. Ich habe sie lediglich dort angemeldet (weil man das, um der Schwarzarbeit vorzubeugen, machen muss). Alles reden hilft mal wieder nichts und ich muss erst einen Anwalt beauftragen, damit ich nach Wochen endlich Recht bekomme.

Ein Vierteljahr später, nachdem auch alle kleineren Arbeiten im und am Haus erledigt sind, feiern wir eine große Einweihungsfeier. Es werden alle eingeladen, die geholfen, sich engagiert oder durch Spenden oder tatkräftige unentgeltliche Mitarbeit verdient gemacht haben. Viele Tische und Bänke sind im Carport und auf der Terrasse aufgebaut. Sascha, Danny und ein Freund von Sascha grillen abwechselnd. Das Wetter spielt mit und es wird erzählt, gelacht, gegessen und getrunken. Vorher musste ich meiner Meike versprechen, dass die Feier nur draußen stattfindet. Sie wollte ursprünglich keinen ins Haus lassen. Das hat nichts damit zu tun, dass ich hinterher wieder aufräumen und putzen muss, sagte sie. Ich denke, das ist ihre Art, jetzt ihre Privatsphäre zu schützen.

Nun bekomme ich mit, dass sie es ist, die mit einem nach dem anderen in der Wohnung verschwindet und die Räumlichkeiten zeigt. Ich denke, dass ein wenig Stolz dabei ist, aber vor allem zeigt sie auch, wie glücklich und zufrieden sie jetzt ist! Ich bin auch so überglücklich und froh und dankbar für jede Unterstützung, dass ich vergesse, mich mit dem Trinken ein wenig zurückzuhalten. Ich meine vielmehr, mit jedem der Gäste teils nicht nur einmal anstoßen zu müssen. Da auch ich jetzt ein Jahr fast kein Alkohol getrunken habe und ein wenig überdreht bin, zeigt der Allohol nun langsam seine Wirkung. Nachdem ich meine beiden Freunde (Villeroy & Boch) heftig umarmt habe, kommt mir daher um 23 Uhr die Idee obwohl die Party in vollem Gange ist, mich einen Moment hinzulegen und auszuruhen. Den Rest der Feier lass ich mir dann am nächsten Morgen erzählen!

Nachwort

Egal, so sagt man, die Welt dreht sich weiter. Und so war das auch bei uns. Es wurde ruhiger. Einmal noch habe ich mich mit den Nachbarn auseinander setzen müssen. Das Oberverwaltungsgericht hatte uns angewiesen, doch nun einmal grundsätzlich die Grenzen unseres Grundstückes zu überprüfen, damit nicht noch einmal ähnliches passiert und es Probleme mit dem Nachbarn gibt. Dabei stellte der Vermesser fest, dass die Nachbarn ihren Zaun komplett auf unserem Grundstück stehen hatten. Teilweise 80 cm neben der Grenze. Ich schrieb privat an die Nachbarn und bat, den Zaun grenzständig zu setzen. Sie antworteten, dass sie das auch machen würden, sollte ein von ihnen bestellter Vermesser zu demselben Ergebnis kommen wie unser Vermesser. Ich bräuchte auch keinen Anwalt einzuschalten und kein Gericht dafür bemühen. Dieses Antwortschreiben kam allerdings von ihrem Anwalt! Tatsächlich hat es zweieinhalb Jahre gebraucht, bis auch das Thema erledigt war. Es wurden natürlich Anwälte eingeschaltet und von Bauers ein Vermesser beauftragt und Gutachter bemüht, bis uns das Gericht schließlich Recht gab. Nun hatte Anwalt Schön zum dritten Mal einen Prozess gegen uns verloren. Gegenüber dem vorher Erlebten war dieses jedoch nur eine Lappalie. Es war nicht, wie vorher, existenzbedrohend. Es zeigte mir nur einmal mehr, wie langwierig, umständlich und weltfremd die Gerichte teilweise reagieren.

5 1/2 Jahre wohnen wir nun in unserem neuen Haus und haben inzwischen noch drei Enkelkinder gekriegt. Von zweien wurde die Tauffeier in unserem Haus ausgerichtet. Leider sind in den 5 1/2 Jahren auch einige in diesem Buch erwähnten Personen verstorben. Unser Freund Stefan, den alle nur Fred genannt haben, mein Kumpel Axel, unser Campingkollege Dortmundheinz, Nachbar Karl Cord, Nachbarin Regina Bauer, mein früherer Arbeitskollege Fred und mein Schwiegervater leben nicht mehr. Und auch unser Treppenbauer hat seinen Kampf gegen den Krebs ver-loren. Die Dachbodentreppe wurde von seinem Schwager eingebaut. Vor zwei Monaten verstarb der Nachbar Bauer....

Von meinem Freund Jürgen, meiner Freundin Michi und Kumpel und Dachdecker Uwe habe ich bis heute nichts mehr gehört!

Herr Ockel und Herr Hurew vom Bauamt sind inzwischen in Rente. Auch von ihnen habe ich nie wieder etwas gehört oder gelesen. Das Fertighausgelände, auf welchem wir unser Haus besichtigt und ausgesucht haben, musste einem IKEA-

Markt weichen.

Genau in der Zeit, als es grad so richtig am Dampfen war, und damit meine ich nicht das Feuer, sprach ich mit einer älteren Bekannten. Im Laufe des Gesprächs erinnerte Sie mich an eine Strophe des Gedichtes von Friederich Schiller „Die Glocke". Das kannte ich zwar und bekomme vielleicht auch noch den ersten halben Vers auswendig hin, aber diese Strophe kannte ich nicht. Sie konnte es mir komplett auswendig aufsagen, da heißt es:

Ein Blick
nach dem Grabe
seiner Habe
sendet noch der Mensch zurück.
Greift fröhlich dann zum Wanderstabe,
was Feuers Wut ihm auch geraubt,
ein süßer Trost ist ihm geblieben.
Er zählt die Häupter seiner Lieben,
und sieh! ihm fehlt kein teures Haupt.

Dieser Vers ging mir während der ganzen Zeit, eigentlich bis heute nicht wieder aus dem Kopf. Er hat mich aufgebaut, wenn ich mal wieder einen moralischen Durchhänger hatte.

Ihm fehlt kein teures Haupt.

Das ist das wichtigste, keiner ist beim Brand schwer

verletzt oder gar getötet worden! Dafür danke ich dem lieben Gott! Ich bin unendlich glücklich und auch stolz auf unsere Familie. Und wenn zu den vier Enkeln, den dreien im Haus, noch ein paar dazu kommen, wäre das auch nicht schlimm....

Ist   eben   noch   mehr   Trubel   hier...